風の道 雲の旅

椎名誠
Makoto Shiina

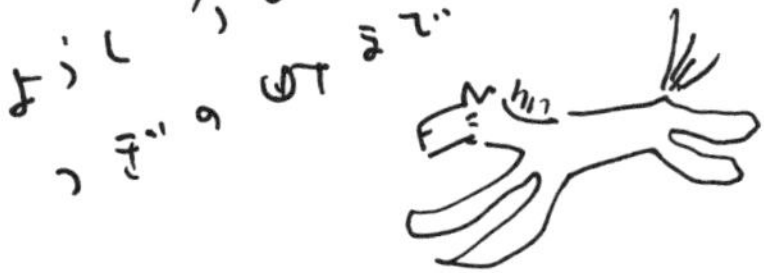

集英社文庫

この作品は、1996年10月、晶文社より単行本として刊行されました。

風の道　雲の旅

写真／椎名　誠
デザイン／藤村雅史デザイン事務所

目次

Contents

那覇のホテルで
窓をあけたまま
睡ってしまった。

那覇《なは》のホテルで目がさめた。

旅行が続いていると、朝起きたとき、自分がいまどこにいるのか一瞬わからなくなるときがあって、けっこうその気分というのが楽しい。

その日、遠くでニワトリの啼《な》き声が聞こえた。ニワトリの声は、やっぱり早朝聞くのがいい。遠いかすかな啼き声だった。

まだ目が覚めきらない茫洋《ぼうよう》とした頭の中で、ぼくは東南アジアか西域のどこかの国を旅行している想いにとらわれていた。夢というかたちまでにもならない本当にぼんやりした一瞬の〝想い〟である。

——どんな目的でこの旅に出てきたのだったか……というようなことを考えはじ

めたとき急速に目がさめた。

那覇のホテルだった。

そのホテルは丘の上にあって、那覇の市街地と、ケラマの方向に海が見えた。カーテンではなく小さな木をつらねたブラインドで窓を覆うようになっていて、前の晩にそのブラインドのむこうのガラス戸を半分ほどあけたままで睡《ねむ》ってしまったのだ。

ニワトリの啼き声をもう一度聞きたくて、窓の外に顔をだした。まだ朝陽のあがらぬ黎明《れいめい》の薄闇《うすやみ》、風がここちよくその先を吹きぬけていた。

いくら待ってもニワトリの啼き声はそのあと聞こえてこなかった。那覇の郊外といっても、改めて眺めるとそのあたりには沢山の住宅がたち並んでいる。ニワトリを飼っていそうな家はそこからは見つけることができなかった。

あついシャワーをあびながら、あの啼き声は、やはり夢の中のものだったのかもしれない、と思った。もしかするとそういう音が聞こえる旅を懐かしがっていたのかもしれない。

西域のオアシスの村に数日すごしていたことがある。そのとき朝はいつも四方八方から聞こえてくるニワトリやロバの啼き声にみちていた。

のどかな夜明けというのとはほど遠い、すさまじくにぎやかな狂騒の朝だった。招待所（中国の簡易旅館）の、粗末なベッドの毛布の中にもぐりこんでそのけたたましい音とたたかいながら、再びさっきまでのここちのいい朝のまどろみに戻ろうと、必死の努力をするのだけれど、たいていうまくいかず、やがて諦《あきら》めてもそもそおきだすことになる。

ベッドの下のバケツを持って招待所の入口に置いてある大瓶《おおがめ》のところにいき、その中の水を柄杓《ひしやく》でバケツにすくう。そのバケツを持って外に出て、ポプラの木の下でまず顔をあらい、歯をすすぐ。それからつめたい水をタオルでしぼって上半身をぬぐう。風呂がないからそれが風呂もしくは朝のシャワーのかわりなのだ。

そのあいだにもあたりはニワトリとロバとそしてブタも加わったでたらめ大合唱がひろがっていて、とてもぼんやりしている余裕もない。でも毎日のこの騒々しい朝を、ぼくはけっこう気に入っていった。

那覇のホテルを出てお昼近くに海まで歩いていった。海岸べりの公園で老人が二人、真正面に向いあって何事か熱心に話をしていた。そのむこうで野球少年が海を眺めている。

風にのってフォークソングがふわふわ聞こえていた。まるでさあこっちへおいでおいでと言っているような、懐かしくて軽快な音だったので「そうかそうか……」とひそかにうなずきながらさらに歩いていくと、三十人ぐらいの大人と子供たちが芝生の上でゆらゆら踊っていた。人々はみんな心配なぐらいバラバラで、どうみてもそのあたりに流れている音楽とリズムが合っているようには思えないのだけれど、それはそれでなんとも気持のいい風景になっているのだった。

タクシーが公園のはじに止っていて、四つのドアをすっかりあけたままにしている。全体を青く塗ったタクシーなので、そうしていると、四つの羽根をひろげているなにかとても風変りな昆虫のようにも見える。運転手らしい男がその近くのベンチにあおむけになり、顔にハンカチをのせてねむっていた。ふいにヘリコプターがどこかそこからは見えないところをとんでいる音がした。

もっとはっきり海の音を聞きたくて、その公園を突っきって堤防の先まで歩いていった。海からの風がどんどん強くなっていって、漸《ようや》く波の音が聞こえてきた。

前の晩、那覇の街なかの、とてつもなく古めかしくて、頑固に大衆的な沖縄ふう居酒屋でいっしょに泡盛をのんでいた女性は、二十八歳の時に九州から嫁いできて、いまはすっかり気持の隅までうちなー(沖縄の人)さあ、と少し酔った声で言った。鼻筋のとおって目もとのくっきりあざやかな美しい女性だった。

二階で誰かが三線《さんしん》を弾いていた。

那覇のホテルに泊ったのはほんのきまぐれで、それまで数日間の休暇を楽しんでいた八重山の小さな島を予定より一日早めて発ったからだ。八重山の島は何もないところで毎日白い砂の海に出て静かにぼんやりしていた。よく晴れた日が続いていて、昼には陽ざしの下で汗ばむほどだったが、十一月の海にはさすがに誰の姿もなく、ぼくも海には入らずにいた。

白い砂の上にツルナの細い茎が走り、季節とあまり関係のない小さなトカゲが、葉の下から用心深くぼくの様子をうかがっていた。

その浜を気に入ったのは白砂が思いがけないくらい贅沢《ぜいたく》に長く広く続いていて、ところどころにモンパの木がはえていたからだ。丈のひくいモンパの木は南の島の海によく似合う。

その木の下に寝ころがって大きな葉っぱのむこうに晩秋の南の海と、その上の高い空を眺めているのが好きなのだ。

島ではあまり人と会わなかった。季節がこんなふうだったし、島そのものが観光の対象になっていなかった。

だからこそモンパの木のある白い砂浜が美しかった。島について二日目の午後、その浜にぼんやり座っていたら、釣り人が青い魚を二匹くれた。聞くと工事にきている人で、仕事の休みにはそんなふうに釣りをして暇をつぶしているのだという。

「この魚はもう食べあきただものね。だからあんたにやるよ。色は青いけれど刺身にしてくうとうめえから」男はそういってだいぶ欠落のある歯を見せて「くふくふ」というふうに笑った。

いくつかの写真を撮って、四日目にすこし予定をくりあげてその島を去った。そうして丘の上の那覇のホテルに泊ったのだ。

居酒屋で飲んだ古酒《くーすー》は少したつと随分ふかいところから酔ってくるような気がした。

グルクンという魚とドゥルワカシという赤い芋の料理、そして細身の島らっきょうが黒く光るテーブルの上に並んでいた。

九州からここに嫁いできたという女は、やがて三線を持ってきてそれを上手に弾いた。

「この島のうたはうれしいうたとかなしいうたがあるよ」と女は言った。

夜更けまで、酔ってしまってもうあまり話をするのが面倒になるくらいまで、その日ぼくは燃えるような泡盛をのみ続けていたのだった。

夜更けまで
波の音が
きこえていたので。

その島の港は切り立った断崖《だんがい》状になっているので、フネは大型のクレーンで海面から持ちあげられ、人間はフネごと十五メートルほどの断崖の上にドスンと上陸する。少々こわいけれど遊園地みたいで面白いのだ。

「今日みたいに波がないとわかんねえけど、荒れたときは命がけだよう」

港近くで食堂をやっている爺《じい》さんが言った。

低気圧がくると三十メートルぐらいの大波がこの断崖をこえるのだという。

断崖の上にトロッコのレールがあった。今は使われていないけれど、昭和のはじめに大きな製糖工場があって、ここから賑《にぎ》やかに船積みをしていたのだという。

昔なにかで栄えたことがあったという島はあちらこちらにどことなく哀感がある。

強い陽ざしが照りつけて、あたりがとてつもなく眩《まぶ》しければ、やっぱりその眩しいぶんだけ少しかなしい。

宿は断崖港の反対側の海べりにあって、おそろしく頑丈な四角い窓から海が見えた。

海が見える部屋でしばらくぼんやりしていたいというその旅の目的は、それできちんと果たされそうだったが、それにしてもテーブルひとつないまるっきりのガランドウといったかんじの部屋はあまりにもわびしすぎる。

窓が少々高いところにあるので、座ってしまうと海がまったく見えず、なんとなく牢屋《ろうや》の中にいるようなのも気になった。

サンダルをはいて宿の周辺を歩いてみることにした。どの島でもそうだけれど、島の人々が住んでいるところは寄りそうように沢山の家が密集している。もっと島中にバラけてゆったり分散して家をたててもいいようなものを、と思ったりするのだが、風向きや陽あたりや水の供給などいろんな制約があってびっしりひとつのところに寄り集ってしまうのだろう。そういうことと同時に人の数が少なくてどっちみち侘《わび》しいのだから、みんなでかたまって少しでも賑やかにしていよう、という気持が働いているのかもしれない。

夕方あたりから波が荒くなってきた。

「風が変ると、あんたの部屋にまっつぐ風が吹き込むから、海がしぶきになって、窓の隙間《すきま》から入ってくる。そうなると布団もなにも汐《しお》ぬれになるから部屋を換えるかね」

と、宿の主人は言った。

「今夜風が変りそうですか?」と聞いたが、はっきりとはわからないようだった。

ぼくは数時間のうちにその牢屋ふうの窓にすっかり慣れてしまい、かえって好きになってしまったので、そこからの風景がどうなっていくのか知りたいこともあって、部屋は移らないことにした。

客はもう一人島をまわってモーターの修理をしているという長期滞在者がいて、その人と一緒に向いあって夕ごはんをたべる。男は「タナベ」と胸のところに縫いとりのしてある作業服を着て箸《はし》を鳴らしながら黙ってめしをたべていた。箸を鳴らすというのは、箸でひとくち口にモノを入れると、何もはさんでいない箸を空中でかしゃかしゃ鳴らすのだ。二人しかいない食事なので何か話しかけたほうがいいのかと思ったが、そんなような雰囲気でもないのでぼくも黙っていた。ヘンな気分であった。

テレビは少し前のプロレスを流していた。この島まで民放のテレビ電波は届かず、それが入るところで録画した民放番組をレンタルショップが貸し出しているのだということ。

夕食後、時間が余ってしようがないので島の繁華街へ酒をのみに行った。繁華街といっても、五十メートルもないところで、和風、洋風の呑《の》み屋が七軒ほどある。洋風というのはつまり「バー」のことで店の表にも「バー」と書いてあるのだけれど、中に入ってみたらそれをバーというにはかなりの妥協が必要だった。寿司屋《すしや》のつけ台のような形をしたカウンターのむこうにおそろしく眉《まゆ》の太い女が座っていた。カウンターの前にはまだそんな季節ではないように思うのだけれどトックリのセーターを着た男と、コートにアポロキャップをかぶった男が座っていた。アポロキャップの男は鼻の下に変にまばらな口髭《くちひげ》をはやしていた。

その二人の男とすぐにいろいろな話をした。どこから何の用でやってきたか、ということがとにかくかれらがまず最初に最も知りたい事柄のようであった。

「新宿からきたのだったらムカイバラコーゾーを知っていないか」

と、トックリセーターの男がかなり真剣に聞いた。

「わからない」とぼくは答えた。

島に五日間いると言うと「ここには女はいねえよ」とアポロキャップが言った。

かれらの話はすべて唐突で面白かった。

カウンターの中の眉の太い女は奄美《あまみ》からきたのに、とシナをつくるようにして言った。

夜更けに風が強くなり、宿全体がぶつかってくる風で揺れているようになった。何度も目をさまし、少し風の音におびえながらまた睡《ねむ》った。

風は朝にはやみ、起きたときに布団のあちこちをさわってみたけれどとくに湿っているようには思えなかった。宿の主人に話すと「風の向きが全然ちがうだもの」

と歯のぬけた口でふこふこ笑いながら言った。

朝食は生玉子に瓶詰めのつくだ煮、それに岩のりの味噌汁《みそしる》という簡単なものだったが、奇妙にうまかった。

タナベさんはもう仕事に出てしまったようで姿がみえなかった。

「あの人はたいそう腕のいい人で、もう一千台くらいモーターを直しているんですよ。一千台なんて中々できることじゃないねえ」

宿の主人がそう言った。

昼まで原稿を書く仕事をして、午後に海べりをあっちこっち歩いてみる、という日課にした。

風は収っていたけれど海は荒れていた。風がなくて波だけ高い海を見ているのはなんだか不思議にこわいかんじがした。

小さな岸壁で工事をしていた。岸壁の上に弁当箱が三つ並んでいて、ひからびたウツボがその近くにころがっていた。

サイレンが鳴り、離れたところでダイナマイトの炸裂《さくれつ》する音がした。岩を崩し、それを新しく作る岸壁の土台にしているようだった。

ぼんやりそれを見ていると紫色のだぶだぶのニッカボッカを穿《は》いた男がやってきてヘルメットの中で笑った。よく見ると昨日「バー」で会った「この島には女はいねえよ」と言っていたアポロキャップの男だった。

「女、どこにもいねえべ」

と、そいつは言った。この島がだんだん好きになってきたな、とぼくは考えていた。

犬は少年といる時が
一番うれしいようだ。

アルゼンチンの南端の町――というより、地球の南の一番端っこの町がウスアイアだ。マゼラン海峡に面した坂の多い町で、いつも海からの風が吹いている。

町には日本のように無意味で不必要なうるさい音楽を流しているような店は一軒もないので、夕方そのあたりをふらふら歩いていると、まるで町中がねむってしまったのかと思うほどひっそりしている。

でも時おり犬の一群がひぃはぁひぃはぁと荒い息を吐いて、何か重大な発見でもしたように大いそぎで通りすぎていったりする。

かと思うと、一軒の店の前で主人が出てくるのを待っているらしく、じっとみじろぎもせずに座っている犬もいたりして、まるで「犬たちの町」みたいなのだ。

世界のいろんな国と日本との違いは何か——と聞かれたとき、ひとことで答える方法がある。

「日本の犬はつながれているけれど、ヨソの国はみんな自由」

簡単だけど、少しかなしい現実なのだ。

日本はむかしから幼稚な管理至上主義の国で、ちょっとした危険があるとすぐに法律や条例でがんじがらめにしてしまう。かくして、

「犬は必ずクサリでつないでおくこと」

というのは日本の常識だけれど、ヨソの国ではそんな幼稚な思考は通用しない。つなぐのもつながないのもその犬の力量と飼い主の判断にまかされる。この犬は性格粗野にして教育不充分、加えて近ごろ色情狂の気配あり……などという場合はクサリつきの散歩となる。

あるときパリの高級ホテルのロビーで人を待っていると、巨大な犬が一匹入ってきた。毛足の長いアフガンハウンド系の犬であった。胸を張っていかにも堂々としている。

だ。

入口から厚い絨緞《じゅうたん》が敷きつめられているのだが、きちんとその上を歩いてくるのけれど、ロビーにいる客もホテルのボーイも眉《まゆ》ひとつ動かさず静かなものだ。ホテルのロビーのほぼ中央にその犬が到達し、腰をおろすのとほぼ同じ頃、入口から長いコートを着た老夫婦らしき二人が入ってきた。すぐにその犬がこの老夫婦の飼っているものだとわかった。きちんとしつけられた犬はこんなふうに自立して堂々と思うままに行動しているのだった。

日本はとてもこうはいかない。以前飛行機で犬だけ送り出すために羽田空港に連れていくと、ロビーに入ったとたん空港警備員らしき男が三人走ってきた。犬を入れてはいけない！　とおそろしい顔をして言うのである。飛行機で送りだす手続きをとりたい、と言うと、それなら犬を入れる檻《おり》に入れて運べ、という。その犬はよく訓練されていて何の心配もないのだが、その場からわざわざ檻に入れて押していかなければならなかった。犬は自分で歩けるのに——である。

日本というのはそんなところだ。

CULO DE ARTESANOS

アジア全域とアフリカや南米などの国では病気の犬だけつながれている。犬をつないでおくと人間がそいつの餌《えさ》の心配までしなければならない。人間だって食べるのにやっと、というところだって多いから、犬は犬で自分で餌を探しに出なければならないのである。

アフリカで出会った犬はなんだか妙に人なつっこくて、マサイ族の住んでいる草原にいる間、ぼくのあとをずっとくっついてきた。

犬はどの国の犬も顔つき体つきだけ見ているとその国の言葉を喋るわけではないので異国性を感じさせないものだ。マサイ族は日本人とおそろしくかけはなれた生活様式の人々だから、言葉もさっぱり通じないし、まったく違和感にみちたいっときの出会いしかできなかったが、犬はちょっと見ると花咲かじいさんに出てくるようなシロみたいなのもいるから、人間よりもむしろ犬の方と仲よくなった。

その犬は一日中ぼくのあとについて歩きながら時おりぼくの靴のうしろに嚙《か》みついた。かりりと軽く嚙むくらいなので、それはマサイ犬（?）流の愛情表現の一種なのかな、とその時はこころやさしく思っていた。けれど今になって考えてみると、マサイ族のところにいる犬はいかにもハラペコふうであったから、ぼくのあとについてき、時おり靴のかかとに噛みついていたのは「見慣れないこいつ、餌にならないかな？」と思っていたフシもある。

南米の街でよく見たのは、犬がトラックの荷台や運転席の屋根に乗って、あたりを眺めながら走っていく風景である。もっとも楽しかったのは、ごく普通の乗用車のうしろのトランクのフタをはねあげて、トランクの中に三匹の犬が乗っていたことだ。三匹はきちんと並んでトランクの中に座っているので、そのすぐうしろを進んでいくぼくの車としばらく顔を見合わせながら走っていくのだった。南米独得の大らかさで、日本でこんなことをしたらたちまちパトカーが五、六台おっかけてくるだろう。

でもなんといっても犬が一番くつろいでいるように見えるのは、少年と一緒にいるときである。ぼくが子供の頃住んでいた千葉の海べりの町はまだ犬の放し飼いもうるさくない頃で、どこかへ出かけると、犬も当然のようにくっついてきた。そうして何でも一緒にいろんな冒険をしたのである。

いまぼくがモンゴルに魅かれているのは、そうした犬と人間のさりげなくてあつい友情がごく普通にあって、犬はいつも精悍《せいかん》な、そして好奇心にみちたやわらかい眼をしているからだ。

この〝草の国〟に一カ月もいると餌のためしに足のかかとを嚙みつかれることもなく、モンゴルの働きものの犬と親友になれる。そうしてぼくの乗った馬のあとをかれは元気よくどこまでも追いかけてくるのだ。

夜中、ゲル（中国領内モンゴルではパオ。遊牧民の移動式テント家屋）の中のストーブの余熱にくつろいでのんびり睡《ねむ》っていると、外で犬が小さくひくく唸《うな》る。するとたいていそのすぐあとに、オオカミの遠吠えが聞こえる。犬は遊牧民の馬をオオカミから守るために、時に命がけでたたかうのだ。

夜なのに
林のむこうから
おはやしが
きこえてきた。

その年はある仕事の関係で、毎日ひとつずつ地方都市を移動していく、という旅が続いていた。いったん東京を出ると、たとえば日本海側の海沿いの鉄道を一日一都市の距離で移動していき、夜はその街に泊る。四日から五日、永いときは一週間ぐらいそんな旅芸人のような動き方をして東京に帰ってくる。東京で数日すると、また別の場所へ出かけていく、というような具合だ。

はじめて行く街もあれば、二度目三度目のところもあった。知らない街を歩くときはなんだか不思議なときめきがあった。

季節によっては小さなまつりに出会うこともあった。通りの一角に神社があって、鳥居からその奥の社《やしろ》までの間にびっしり屋台が並んでいて、そこだけふいに大賑《おおにぎ》わいになっている、というような「まつり」だ。

そこにくるまで殆《ほと》ど人とすれちがうこともないような閑散とした夜の通りだったのに、ふいにまつりのその場所だけ沢山の人でさんざめいている。なんとも奇妙なことで、一瞬何かとんでもないイタズラ狸《たぬき》かなにかにばかされているのではないか、と思ったりする。

屋台で商売しているお兄さんやお姉さんの顔がなんだか現実離れしていて、どうも今の時代の風景とは思えない、というのも不思議な感覚だ。

神社の裏は林があって、位置的にいうとそのむこうが海になる。海からの風が上空を走り、時おり林の樹々を揺する音が聞こえてくる。でもその小さなまつりの場にはたいして風が吹き回ってこないのは、神社の裏の林がきちんと防風林の役割を果たしているからなのだろう。

まわりにいる人々が見知らぬ顔ばかりで、みんなそれぞれの人生があってそれぞれのよろこびや哀しみがあって、そうして互いに誰にもわからない明日があるのだろうな、などと思うと、なんだかやっぱりここは次元の違うどこか別の世界であるような気もする。

たとえばぼくはこんなことを考える。

そのまつりをぼんやり眺めてまた少し通りを歩き、ほんの四、五分のちにまたそこに戻ってくると、さっきのあのひっそりと賑やいだまつりはまったくどこかに消えてなくなってしまい、境内の隅で五、六人の人々が小さな火を囲んで暖をとっている。それはまさしくまつりが終って片づけの後のような風景ではあるのだけれど、それにしてもたったの四、五分であれだけの屋台やまつりの人々がそっくり消えてしまうとは思えない。はてさてどこかでさっきの道を間違えてしまったのだろうか――、と空を見上げて遠い「おはやし」の音に耳をかたむけてみる――。

そこはたしか福島県と山形県が接するあたりの小さな町だった。ぼくはクルマでその町にやってきた。新幹線の駅から三十分ほど奥に入ったところに予約した宿があった。観光地でも湯治場でもなく、ただの町中の宿であったが、その宿の屋号は「なか湯」といった。町は通りに沿って細長く続き、通りからすこしはずれると一

面に田んぼが広がっていた。

殆ど料理に特徴も面白みもなにもない平凡な夕食をすませるとあとは何もやることがなくなってしまった。部屋のテレビをぼんやり見ているというのもわびしいものだからあてもなく外に出た。気のきいた居酒屋でもあったら少し飲み直そう、と思ったのだ。田舎の町の商店は閉めるのが早く、八時を少し回った程度というのに、通りには殆ど人影がなかった。開いている店といったらコンビニエンスストアと貸ビデオ屋ぐらいのもので、これはどの地方都市でも同じ光景のようだ。

わずかに寿司《すし》の看板のある店が開いていたが、夕食はすんでいたし、こんな海から遠く離れた土地でサカナという気にもなれない。

あきらめて宿に戻ろうと思った。カバンの中に放りこんでおいたアフリカの探険記を布団の中でゆっくり読むというのもいいものだ。

宿へ戻るにはそこが近道だろう、と思って入りこんだ路地で方向を失ない、さっきのところに戻ろうかどうかと迷っているうちにいきなり田んぼのひろがる暗くて広いところに出てしまった。田んぼのところどころに木立ちのかたまりがあるのか、そのあたりが、夜の闇《やみ》よりももっと黒々と沈んで見える。そういう広々とした闇の中にたったひとつ、ぽつんと赤っぽい灯が見えた。闇がいちめんに広がっているところにたったひとつの赤い灯だからそれはとてもあざやかに目をうつ。好奇心に抗しきれず、ぼくはその灯にむかって農道のようなところを歩いていった。

驚いたことにそれは居酒屋なのであった。外から見るかぎり店の名はなく「おでん」と「ラーメン」と書いたベニヤ張りの看板がぶらさがっている。もとより粗末なつくりの店だ。中から人の声がする。田んぼの中の一軒屋の居酒屋というのに出くわしたのははじめてであったから、そこに入ってみたいと思ったが同時に逡巡《しゅんじゅん》した。こういうところにやってくる客というのはたいてい近くの常連客で、顔見知りの数人が土地言葉そのままに気分よく呑《の》んでいる筈であった。

そういうところに通りすがりの旅行者がひやかし半分に入っていくのは店の人や客にとって少々興ざめのことであるように思えたので、ぼくは数分迷ったのち、あきらめて元きた道を戻った。モノを書いている人間としては何かそこで予想もつかない経験をしたかもしれないのに随分あっさりとあきらめがよかったな、と思うのだが、そのときのぼくの本当の気持は入ろうにも入る勇気がなかったのである。

次の日、別の都市へむかうために朝早く宿を出た。ゆうべのあやしい店のことを思いだし、また少し道を迷いながらも、昨夜と同じ小道を見つけだし、その店の方向に走った。

朝の光の中でみるその店は、掘っ立て小屋に近いつくりで、まことに貧弱きわまりないさびしげなものであった。

車で走りすぎながら、気持としてはいっそのことどこをどうさがしてもその店は見つからず、あれはマボロシのできごとだったかもしれないと思わせてくれたほうがよかったのだが……。

赤い灯に誘われてふらふらと田んぼの中の道を歩いて近づいていくなんてまるで自分は夏の夜の虫みたいだな、と前夜あきらめて宿に帰るときに一人で小さく笑ってしまったことを思いだした。

店の中から女の艶《つや》っぽい笑い声が聞こえていたのがいつまでたってもその夜ぼくの耳の中に残っていて、それが少々こまりものだった。

ある年の夏、
ベカ舟で沖へ
流されてしまった。

K市の裏扇《うらおうぎ》という土地はあちこちに狐の伝説があるところだ。町のはずれを、いまの時代としては随分元気よく蛇行して流れる川があって、ちょっとした峡谷がある。たいしたスケールではないので観光地とまではならなかったが、これで鉱泉宿でもあれば、静けさを好む大人たちの小さな旅の手頃な宿になるような場所だ。

峡谷の西のはずれに屏風《びょうぶ》のように切り立った岩壁があって、そこも狐伝説のひとつの舞台であった。

戦国時代、落人《おちうど》の武将と村の娘が秘《ひそ》かに愛しあい、その屏風のような岩壁の下での逢引きが幾度かあったが、武将の郎党に知られるところとなり、将をたぶらかす狐の仕業として女が斬《き》り捨てられた場所だという。女が本当に狐であったのかそうでなかったのか、そのへんはあきらかではないのだが、そこに流れる水の音はどちらにしても心なしか悲しげな音を周囲の岩にひびかせている。

蛇行する川のふちもその一帯だけ地盤が固く、川べりの石に座って目の前の衝立《ついたて》のような岩壁を眺めるのにちょうどいい。

よく晴れていたが、風が強く、雲がかなり早いスピードで峡谷の上の狭い空を走っていた。雲は岩壁の上空にむかって次から次へとごんごん突っ込んでいくので、そのあたりをぼんやり見ていると、雲が走っていくのではなくて、岩の衝立がこっちにむかっていまにも倒れてきそうにも見える。その単純な錯覚が面白くて、ぼくはずいぶんいつまでも岩壁と空を見上げていた。

子供の頃、ぼくの家は千葉の海べりにあった。春になるともう待ち切れずに仲間たちと海に出ていく。まだ泳ぐには寒すぎるから、湾岸漁師の使う「ベカ舟」という小さな舟を借りて、竹の竿《さお》を突きながら沖に出ていくのだ。

遠浅のいたって安全な海だったけれど、ところどころに水脈《みお》と呼ばれる、海の中の川のような水路があって、引き汐《しお》のときにこの水脈の流れに乗って沖に流されてしまうことがある。

あるとき、四人のあそび仲間とこのベカ舟で遊んでいたらまさしく引き汐の水脈にはまってどんどん流されてしまった。そうなるともう竹竿などではとても舟を制御することができない。はじめはあせったが仲間の一人が漁師の息子で、流されても、やがて汐は満ちて浜辺に戻してくれるから、それまで海にさからわないでいたほうがいい、と言った。しかし、それも櫓《ろ》かオールがあっての話で、底に届かない竹竿ではちょっと難しい。

次のあげ汐に期待して流されていくと、やがて海の中に立てられている木と竹で造られたやぐらが見えてきた。地元では「ダンベ台」と呼ぶ汐の具合やナブラ（海中の魚群のこと。水中に魚の群があるとその上を海鳥の群が舞っている）の見張り台のようなものであった。水脈からは少しはずれていたが、みんなで必死に竿を使い、そのやぐらに舟を進めた。やぐらは高さ五メートルぐらいのものであったが、ベカ舟をロープでつなぎ、その上の台に寝そべっているのは実にまったく安定感のある「海の砦《とりで》」のようであった。

やぐらの上のタタミ一帖《じょう》ぶんぐらいの台の上にみんなで並んでうつぶせになり、海を見ていると、波がざばざばとはげしくやぐらの足の間を通りすぎていく。じっと見ていると、波が動いているのではなく、自分たちの寝そべっているやぐらが、ぐいぐいと素晴しい早さで海にむかって進んでいくような気がした。

「さあいけ、すすめ、どんどん走れ」ぼくたちはやがてついさっきまでのあわてぶりもぜんぶ忘れて、意気もたからかに大声で叫んでいたのだった。

その海は二十数年のうちにすっかり埋めたてられ、いまでは臨海の巨大な高層近代都市に変ってしまった。

この臨海のちょっと見ると海上都市のような新しいビル群を建設しているとき、遠くからその工事を見に行ったことがある。

海を背景にして沢山の巨大なクレーンが並んでいた。クレーンは四本の鋼鉄製の高い足を踏んばり、その一方がキリンの首のようにぐいんと天空高く突き出していた。それはまさしく海面から屹立《きつりつ》する巨大な怪物たちの行進のように見えた。

零下二〇度の
雪原で
三つの月を見た。

春と夏は知っているが、冬の、しかも厳寒二月のモンゴルは初めてだった。その年はいつもより寒く、内陸部では一月に零下七〇度というすさまじい寒波がおしよせて多くの家畜が死んだ、というニュースを聞いた。

しかしぼくが行った二月の終りは、零下二〇度までになり、遊牧民はホッと一息ついたところのようであった。

モンゴルの遊牧民は夏と冬に移動する。ゲルという特徴のある半球状の組立て式住居を解体し（二時間もあればできる）、ラクダや馬車に引かせて季節ごとに暮らす場所に移動していくのだ。

首都ウランバートルから北東に吹雪《ふぶき》の草原を八〇キロほど行ったところで、馬と羊を飼う遊牧民の冬の居留地があった。

北側に屏風《びょうぶ》のような岩があって、それで風をさえぎる。ゲルは八つほどあってそこに五家族が住んでいた。丁度この季節は羊が生まれてくる時期で、我々が行ったときもほんの二、三十分前に生まれたばかりの羊が群の中をおぼつかない足どりでひょこひょこ歩いていた。まだ体は羊水に濡《ぬ》れていて、ところどころ凍っている。羊にとってはほんの少し前まで母親のあたたかい羊水の中でぬくぬく睡《ねむ》っていたのだろうから、このいきなりの零下二〇度の寒気の中で「こんなに寒いなら出てくるんじゃなかった」などと思っていることだろう。ところでこの羊水というのはどうして「羊」の文字なのであろうか。何か羊にからまる語源的意味があるのかもしれない。

まえに羊羹《ようかん》という文字を見ていてどうしてあのような純日本的な菓子に「羊」の文字がからんでいるのだろうか？　どうも怪しい、と思って調べたところ、羊羹のルーツには見事に羊が関係していることがわかり静かに唸《うな》った記憶がある。

「中にどうぞ」と言われて、あたたかいストーブの燃えるひとつのゲルに招かれた。

ストーブの燃料は乾燥させた牛の糞《ふん》で、これが実に心強い火力を提供してくれる。

招かれたゲルは祖父祖母両親に六人の兄弟という大家族だったが、モンゴルの遊牧民はこれでも少ない方である。

まだ若いなかなか魅力的なお母さんと、長女らしい娘が早速あたたかい料理をつくってくれた。ストーブの上の大鍋に沢山の穴のあいた中ブタを載せ、その上に包頭《ぼー》《ず》を沢山並べていく。ところどころに羊の脂身を敷き、全部並べるとその上にひと回り小さな中ブタをのせ、また包頭と脂身肉をひと並べ。三階建てにして蓋《ふた》をかぶせ、十数分蒸すと、ふこふこあつくていかにも力が湧《わ》いてくるような蒸し包頭ができあがる。

包頭はモンゴル語でもボーズと発音し、これは羊肉のシューマイもしくは丸いギョーザのようなものだ。客のもてなし用に沢山作っておき、袋に入れて外に置いておく。外はそこいら中が天然の冷凍庫である。

あたたかい包頭をたべながらダン茶という塩味のミルク茶をのむ。この茶を飲む器は日本のゴハン茶碗そっくりの大きさと形をしていて、これは旧ソ連のブリヤートやヤクートなど中央アジアの民族の食器と共通している。

我々がきたので子供たちが夏に行なわれる少年少女競馬（ナーダム）の練習風景を見せてくれた。練習といってもみんな本気で雪の中を疾走するのだ。

一番の年かさは八歳ぐらいの女の子で、一番チビが四歳の男の子だった。モンゴルでは男の子でも女の子でも四歳から馬にのせる。

しかし体が小さいのでアブミに足をしばりつけ、たづなに手もしばりつける。そうして零下二〇度の中を何事か大声で叫びながら突っ走るのだ。みんな大きくなると立派な遊牧民になるだろう。

その小さな小さな集落をすぎてさらに一〇〇キロほど北上すると、ウンデルシレットという人口七〇〇人ほどの村に着いた。

ここには一年から八年生までいる小学校があり、病院があり、映画も上映できる集会場があり、それぞれ一軒だけの何でも屋と、食堂がある。近くにトーラ川という蛇行の激しい川が流れていて、あとはいちめんの雪の原野であった。

学校へ行くと子供たちが大騒ぎして集ってきた。寒風の中でみんなものすごく元

気だ。

子供たちの何人かは鼻のアタマや耳が黒い。軽い凍傷のあとなのだ。子供は元気だから零下二、三〇度の外でも平気で遅くまで遊んでいて、ついうっかり鼻や耳のそのあたりをやられてしまうらしい。

夏に別の村に行ったときはときおり鼻からダランと二本青洟《あおっぱな》をたらした少年を見た。しかしこの厳寒にはそういう二本レールの洟タレ小僧はいなかった。そんなものを垂らしているときっと凍ってしまうからだろう。

一軒だけある食堂のメニューは肉うどんであった。羊の肉のころがっているうどんで、小さな琺瑯《ほうろう》のうつわでたべる。岩塩で軽く味つけしただけのものだが、寒さと空腹の中でこれはしみじみうまい。

シミンアルヒという馬や羊の乳からつくる強い酒がでてきた。乳を蒸留してつくるので、これはウイスキーやブランディと同じ製法である。けれどアルコール濃度は十二〜三度とワイン並みなので口あたりがよくついつい飲みすぎてけっこう酔ってしまう。

泊る施設はなかったので、暗くなるまでに戻ることにした。午前中の吹雪はおさまっていて、来るときにあちこち雪の中にジープが突っこんでしまったが、夕方近くなってまた温度が下ったので雪がしまり、かえってもうスタックすることがなくなった。そのかわり暗くなるまでに幹道に出ないと、道を見失なうおそれがあった。

子供たちが雪の中を走って追いかけてきた。

ありがたいことにもう吹雪にはならず、夕方のほのかな明りが残っているうちに幹線道路にたどりついた。

一時間ほど走っていくと、やがて雲が切れていきなり月がでてきた。月の光は強く、よく見ると左右にもうひとつ小さな月のような光点が見える。その左右二つの光点はうっすらと丸い輪につながっている。

白昼ときおり見る太陽が傘をかぶる、という現象と同じようなものかもしれない。訳を聞こうかと思ったが後部座席の通訳はシミンアルヒが効いているらしく、ガオガオといびきをかきながら睡っている。そのあやしい三つの月をみているのはぼくとモンゴル人の運転手だけだった。ぼくは運転手に手でその三つの月を指さした。

運転手も気がついていて、何事かしきりに早口で言うのだが、ぼくにはまるっきりわからない。仕方がないのでぼくは笑い、その運転手もさらに何事かわめきながら笑った。モンゴルの人にも珍らしい光景だったのかもしれない。

ここでない
もっと遠くの時代の
海のはなし。

海を埋めたてたそこはあちこちに巨大なビルが建てられ、そのビル群をつなぐルートも地下道や高架通路がさまざまに入りくんでいるので、子供の頃に想像した宇宙都市のイメージに近かった。

そこがまだ埋め立て工事のはじまる前に実際ぼくはその海べりの町に住んでいて、少年雑誌の新年号などに出てくる「未来の都市」などというカラー頁《ページ》を見ては胸をはずませていたのだ。

「この下のね、この我々が座っている足元は、むかし海のまん中だったのですよ」

ぼくは丸いテーブルの向い側に座っている紅林さんに言った。自分でもわかったのだがその喋《しゃべ》り方はなんだか自慢気で少しおかしかった。

大連生まれの紅林さんは二十五歳の時に嫁いできて以来東京で暮らしている。

「ここは遠浅の海だったけれど、でも、このあたりで五メートルぐらいの深さだったのですよ。そういうところにこんな大きなビルがいくつも建っているのはどうも不思議で……」

ぼくはコーヒーをのみながらそんなふうにして海のことをあまりよく知らない彼女に昔のこのあたりの海のことを熱心に説明していた。

汐《しお》の引いた砂の中を掘るとたちまち両手いっぱいにアサリやハマグリがざくざく獲れてしまうのですよ、というと紅林さんは目をかがやかせ、そのありさまを想像しようとしているのがわかった。

でもぼくのその話には誇張があってハマグリというのは嘘《うそ》なのだ。たしかにアサリはザクザク獲れたが、ハマグリは海水が満ちてきた時に、水中メガネをかけてひとつひとつハマグリの目を捜し、ほじくっていくのだ。ハマグリの目というのは砂の中で呼吸しているハマグリの水取り入れ用の穴なのだ。ぼくは訂正し、そのことを話すと、ハマグリの目というのがおかしい、といって紅林さんはかえってよろこんだようであった。

頭の上をかなり頻繁に飛行機がとんでいく。そこは羽田空港に降りていく飛行機の進入路の近くでもあった。テラスレストランふうになっている店のすぐ前の道を、この新造ビジネス街に行き来する人が沢山通っている。

店を出て埋め立ての突端にある現在の海を見に行くことにした。ぼくと紅林さんは別々のクルマでここにやってきたので、案内役のぼくが先に走る。

ビジネス街を抜けると荒地がひろがり、そのまん中に舗装道路が一直線に伸びている。この埋め立て工事は随分長い年月をかけてすすめられた。そして当時の子供たち（つまりぼく自身もその一人だが）にとってもっともコーフンすべき出来事はここに長大なトロッコ鉄道が敷設されたことであった。

トロッコの魅力にみちた小さなレールが川の土手を通って海へむかう。海へ出て行くレールの下は太い丸太でやぐらが組まれ、それは海の高架鉄道そのものだった。その素晴しい光景はまさに〝少年の夢〟の実現で、ぼくたちは学校が終るとみんなして海へ出かけ、土を満載したトロッコがコトコト走っていくのを何時間も眺めていたものだ。

ぼくと紅林さんは臨時駐車場と書いてある広大な荒地の隅にクルマを置き、埋め立ての突端につくられている〝人工海岸〟に行った。そこは新しく大量の砂を敷いただけの海なので見たかんじはけっこうきれいな渚《なぎさ》になっているけれど、ぼくが子供の頃知っていた海と決定的に違って、海の生き物の匂いがしなかった。

けれど紅林さんは、ふいに吹きつけてくる海風の中で嬉《うれ》しそうに笑った。遠くにタンカーらしい大型船がいくらかかすんで見える。

「きれいな海です」

と、紅林さんは言った。

人の姿は案外少なく、犬を散歩させている若い娘、子供を連れてきて波うちぎわで遊ぶ父母子三人連れ、シートを広げうつぶせに寝ている男女、といった程度だった。

「ここにもハマグリはありますか?」

と、紅林さんは聞いた。

「いや、もうないと思いますよ。ハマグリも餌《えさ》をたべないと大きくなれないのに、ここは人間があとから作った海なのでその餌もないですからね……」

波うちぎわを歩いていると海草の切れ端がいくつかころがっていた。

「この海ではむかし海苔《のり》が沢山獲れたんですよ。アサクサノリというやつです」

またぼくの頭の中に子供の頃の情景が急速に浮かんできた。

海苔を獲る小舟はベカ舟といって、一人か二人で長い竹竿《たけざお》を突いて動かす。そのベカ舟がいつも海のいたるところで動いていた。汐がひいても、水脈《みお》という海の中の川のようなものが幾筋もあったので、ベカ舟はその水脈を通って行き来していた。水脈は浅くなると水深十センチとか二十センチ程度になってしまうので、そうなるとベカ舟を押していくのだ。

汐が満ちて、風があるときはこのベカ舟がほんの風呂敷程度の帆を張ると、それでけっこうイキオイよくするすると水面《みなも》をすべっていくのが面白かった。

紅林さんにぼくはベカ舟と海苔獲りの話をした。それからトロッコ鉄道の話もした。

トロッコのレールは海の沖へ沖へとどんどん伸びて、土を積んだトロッコは大きな鋼材で海中に仕切りをつけた広大な四角い枠の中にどんどん土を落とし、十年がかりぐらいでそこをすっかり埋めたてていったのだった。

工事はたまに一斉に休みになり、そうなると子供たちが勝手にトロッコを走らせた。自分たちの自由になるトロッコ鉄道ほど面白い遊びはなかった。

交代で何人かがトロッコに乗り、何人かがトロッコを押した。そうやって全速力で走るのはスリルがあった。レールはけっこう雑につなげてあるので、何かの拍子に脱線したり転覆したりすることがあるからだ。かなり危険の伴う激しい遊びだったけれど誰も大きな怪我《けが》はしなかった。

「あの頃は子供の黄金時代でしたよ」

と、ぼくは紅林さんに言った。久しぶりに懐かしい海にきて、ぼくは自分のことばかり話していることに気がついた。けれど紅林さんは子供のように、浜辺の砂に小さな水路をつくってそこに海の水を引き入れたりしながらぼくの話を楽しそうに聞いていた。

相変らず飛行機が一定間隔で低く舞い降りていた。さっきよりも翼がよく光るように見えるのは、五月の午後の陽光がすこし西にかたむきはじめたからのようであった。

蒼すぎる空は
時おりずいぶん
悲しくみえる
ことがある。

きっといま一番ぜいたくな旅の方法は、風船や気球に乗ってゆらゆらと行先も到着の時間も風まかせに行く、というやつだろう。

風船の旅は、風と一緒に動いていくので、風の音が聞こえない。当然ながらきわめて静かなわけで、おまけに振動もないからどうもいつしか睡《ねむ》くなってくる。

これほどここちのいい睡りもないだろう。音は熱気球の場合、高さを調節するために時おり点火されるガスの炎の音がけっこう不思議に力強い。

飛行船の場合は推進力となるプロペラの音が聞こえている。これとても、飛行機とちがって機体全体を空に浮かべて動かしていくための動力ではないから、巨大な船体の割には小さな動力であり、したがってその音も可愛いものだ。

熱気球は小さなオモチャクラスのものならけっこう簡単につくれる。

以前、沖縄の海でキャンプしている時、数人の仲間と実験をした。民宿のおばさんから古いシーツを貰《もら》ってきて、まわりに紐《ひも》をつけ、落下傘のようにして焚火《たきび》の上に持ってくると、熱気をはらんでひらりと空中に舞う。空気のもれないようにまわりをガムテープで補強しラッキョウのような形にしていったらもっとしっかり空中に浮かぶようになった。コツはこのラッキョウ作戦だ、とさらにいろいろガムテープで形をつくっていったら今度はガムテープが重くなってしまったらしく浮かびあがらず、そのうちに焚火の炎にあおられて燃えだしてしまった。

ほんの四、五メートル上昇のシーツ玉の浮揚実験だったけれどこのときはみんな結構コーフンした。

全長二百三十一メートルの巨大なヒンデンブルク号が爆発炎上の惨劇をおこさなかったら、飛行船はヒコーキとは別にもっと発達し、のんびりした空の旅の重要な乗り物として存在していたかもしれない。この方が空の風景も今よりもっとゆっくり眺めることができて楽しいだろうから、どうも飛行船の挫折《ざせつ》はかなしい。

なにかすっと心が軽くなるような、そういう気持のいい風景を思いだしていたらいろいろな情景が頭に浮かんできた。

みんなかつてどこかで見ていた風景だ。

不思議なことにそういう風景を眺めていたときというのは、そこがいかに心地のいいところであるかという認識が稀薄《きはく》で、ただもう漫然とそれらの風景に向いあっていただけ——ということが多い。

たとえばいまだに「ああ、あの日々はわが人生の中でもとりわけ気分のいい風の中にいたのだ」と思うことのひとつにオアシスでの数日間——の記憶がある。

それは西域の砂漠の中にある小さなオアシスで、そこに住んでいるのは主にウイグル族の人々であった。

よくありがたいことのたとえに砂漠にオアシス、というけれど、それは本当に砂漠を旅する者にとってはつくづく真剣にありがたいもので、まずそこに広がっている緑の色がうれしい。

緑で一番目立つのはポプラの樹で、カレーズと呼ぶ地下水路や田畑への道に沿って背の高いポプラの樹が行儀よく並んでいる。

このポプラを見上げると、砂漠を吹き抜けていく強い風に梢《こずえ》がわらわらと揺れ動き、そのむこうに砂漠特有の濃すぎて黒く見えるくらいの蒼《あお》い空がひろがっている。

このやるせないくらいに蒼い空を、いまぼくはたまらなくいとしくなつかしく思うのだが、なんとおろかなことに、それを実際にまのあたりにしているときに「あああまぶしくてギラギラの空だなあ、あついなあ」というぐらいにしかその風景を感じていなかった。

そこに住む人々はつつましい生活をしていたがみんなにこやかで、なんだかとても旅人にやさしかった。かれらもおそらく遠いむかし、その先祖たちが過酷な砂漠を旅してこの地にたどりついたのだろうから、みんな精神の底に旅人への深いいたわりの気持をもっているのかもしれない。

砂漠の道をロバに引かせた荷車がよく通っていた。荷車の人はちょうどその頃一番の熟れ頃だった大きなハミウリをたべていることが多く、なんだかそれはあたりの風景とじつによく似合っているのだった。

そのオアシスは毎日午後になると強い風が吹いた。風が通りを吹き抜けていくと、道から砂が舞いあがり、ちょっと油断して歩いているとたちまち頭のてっぺんから足の先まで砂だらけになってしまう。だから午後に通りを歩き、夜宿舎に戻ってくると、その入口のところでかならず髪の毛の中に手を突っこんで砂を払い、体中をパンパンと激しく叩《たた》いてホコリをおとさなければならなかった。

そういういかにも砂漠の中の生活らしいいくつかの面倒はあったけれど、気ぜわしい人工の音が一切聞こえないオアシスの日々は、人間の気持をつくづくやさしくしてくれるのだった。

アフリカの海岸でラクダと出会ったときも、そのおよそヘンテコな風景が強烈で、いつまでも忘れられない記憶になっている。海岸にラクダというとりあわせが日本人のぼくにはどうもうまく頭の中で風景として結合しなかったのだ。

そのときも一カ月ほどの旅の最後にアフリカの濃すぎる程に蒼い海と出会ったのだ。

海から吹きつけてくる風はたっぷり湿気を含んでいるので、それほど爽快《そうかい》という訳でもなかった。

けれど海岸べりの売店でよく冷えたビールを買ってホテルのプールサイドに行き、樹の陰でのんびり海を見ている、というのはそれはそれで、人生のひとつのしあわせ、というものである。

ビールの酔いがふわりときても、海の上の雲は少しも動いている様子がない。そうして海岸の砂の上にぺたりと座ったラクダたちも殆《ほとん》ど身動きせず、ひょっとするとこの長い長い、あついあついその日の午後の時間はもうすっかり止まってしまっているのではないか、と思えるくらいの不思議な世界だった。

翌朝早くおきて、また海岸へ行くと、昨日のあの風景は果して本当だったのだろうか、と思える程海は灰色に沈黙し、ラクダの姿もまったく見えなかった。しかし海が灰色なのはまだ太陽が昇っていないからで、いつものそういう時間になれば目の前の海は昨日と同じような活気をとりもどすのにちがいない、とわかっていても、そのあまりの様相の違いに少々気持の底をたじろがせてしまうのだった。

どうも風景というのは、その風景が消えてしまったあとで実に意地悪く、その本当のところをつたえてくるらしい。

子供の頃、大きな風船を持って歩いていた男を見たことがある。少々頭のおかしな浮浪者で、町の人々にはそれなりに有名な男であったが、ぼくはその時の風景が妙にウックシク思えて、いまだに記憶の中にはっきり残っている。大人になってから何度かこのときのことを思いだすのだが、ある時、フト、あの男はあのあとどうしたのだろうか——、ということがひどく気になってしまって困った。あのあとまたその浮浪者を町のどこかで見たのだろうか、という記憶がまことに曖昧《あいまい》で、なぜかいつまでもそれが気になってならないのである。

草原を眺めていたら
シャーウッドの森を
思いだした。

五十日ほどの草原キャンプ。今日がちょうどそのまん中の日、二十五日目だ。キャンプといっても、モンゴル遊牧民の住む移動式住居ゲルに住んでいる。ゲルは中国語でパオ。肉まんじゅうのような形をしたあの白い小さな家居だ。

三週間ほど雨がまったく降らず、砂あらしばかりやってきて少々乾きすぎの生活だったが、昨日ようやく雨が降った。

雨が降ると、一日で草原の色が変るという。あたり一面にひろがっている草がそろってひと雨ぶん成長し、色を増すからだ。

さあどのくらい色が変っただろうか、と今朝《けさ》起きたとき、つとめて注意して四方を眺めたのだが、残念なことにどうもよくわからなかった。

近くに川が流れている。

トーラ川だ。モンゴル高原のあたりからくねって流れ、やがてバイカル湖にそそぐという長大な川だ。

この川のそばの草はひときわ緑が濃い。馬にのって近くの山にのぼると、この川に沿ってどのあたりが一番水分を含んだ土地なのかひと目でわかる。川は本当に草原の命の源なのだ。

ひと月近く草原の生活をしていると、体がこの乾いた風と強い陽光にどんどん順応していくのがわかる。

気分のいい毎日だな、と思う。

水を生命と同じくらいありがたく思い、雲の動きを見ておおよそその日の気温を予測する。山へのぼった時、川ぞいの緑の中に「樹の緑」はないだろうか、と無意識のうちに捜している。毎日見る風景の中で、樹を見ることができないのが唯一の不安である。このあたり、本当にまったく樹が一本もない。

雨が少ないせいもあって草原の草の丈はまだほんのわずかなので、強い風が吹いても風に吹きたおされる、というふうにはならない。樹が一本もないから、どんなに強い風が吹いても風のありかがわからない。

そこのところが少し悲しい。

草原の国で暮らしていると、日本はけっこうまだまだ樹の沢山ある国なのだな、と思う。

この国へ来る直前に南九州の、とりわけ緑の濃い山村の中で三日ほどすごしていたことも、視覚の記憶に大きく関係しているのかもしれない。

その土地で生まれた友人と一緒に彼の郷里を訪ねたのだ。

「残念だ、もう少しあとだったら、とびきりうまい筍《たけのこ》をたべられたのに……」

友人はかつて自分の家があったという空地の裏手に立って、実にくやしそうにそう言った。裏手には大きくのしかかるようにして沢山の樹の繁《しげ》った山があった。

その日の午後、その友人につきあって本格的に裏山タンケンに出かけた。まだまむしがいるかもしれない、というので長靴をはき、背の高い草を払うために竹の棒を持った。

竹の棒を持つと、なんだか急速に昔の子供時代にかえっていくような気がした。そうだ、ぼくも子供の頃自分の住んでいた町の裏山に竹の棒を持ってよく出かけたものだ。その裏山にはまむしは出なかったが、竹の棒を持つとなんだか気持が安心した。竹の棒は実に頼りになる男の武器だった。

「山ん中で腹がへると、食うものがいっぱいあって面白かった。もうめったなことじゃ口にできなくなってしまったけれど〝あけび〟の熟れたのは、あれは今考えると実に贅沢《ぜいたく》きわまる味だった」

先頭に立っていくらか息をはずませながら友人は言った。

「筍もまだ地面に潜ってこれから出てくるようなやつを掘りおこしてな、生のまま醬油《しょうゆ》をたらして食べるのはたまらなかったよ」

友人は少しずつコーフンし、どんどん昔の土地言葉に戻っていくのが面白かった。

「樹の上に家をつくらなかったか?」

ふいに思いだしてぼくはそのあたりに大きく枝を張った樹を見上げながら聞いた。

「作った作った。角材とロープで太い枝の叉《また》のところにまず土台をこしらえた。それで竹の梯子《はしご》をつけると自分の家よりずっと立派になったよ」

友人は嬉《うれ》しそうに笑った。

そうだ、シャーウッドの森だ！

ぼくは自分の町の裏山に兄と二人で作った樹の上の家のことを急速に思いだしていた。

シャーウッドの森と名づけたのは当時「ロビンフッド」にすっかり憧《あこが》れていた兄だ。

その裏山は低い木が多かったので、樹の上の家といってもせいぜい高さ二メートルぐらいのものだった。兄と一緒にそのあたりを熱心に歩き回っていろんな木を捜してきて荒縄でゆわえてまず床をこしらえた。

樹の上の家が少しずつ出来上っていくのを見ると、ぼくは気持がバクハツしそうなほどコーフンした。

その後シャーウッドの樹の上の家へは三日に一度ぐらいの割合で出かけていったが、ある時それは無惨にもめちゃくちゃに壊されていた。誰がそんなことをしたの

か見当もつかなかったが、すべてすっかり樹の上の家が取り払われていたところをみると子供のしわざではなさそうだった。ぼくと兄は竹の棒を握りしめて、まだその家を壊したやつがひそんでいるかもしれない雑木林の奥の暗がりを油断なく窺《うかが》い、いつでも戦ってやるぞ、という気持になった。

けれどあたりの樹々はしんとしたままで、ぼくと兄は果てしなく悲しい気持のまま、その小さな山の斜面をおりていった。

草原の国の昼下りに、はるか昔のふるさとの、樹の上の家のことを思いだしているのも妙な気分だった。

草原の国の子供らが、この見わたすかぎり草だけの大地でどんなあそびをしているのか気になった。

五キロほど離れたところに住んでいる遊牧民の子供に聞いてみると、動物ごっこをやるという。日本でいえば鬼ごっこのようなものなのだろうが、四歳から七歳までぴったり一年ずつの年子四兄弟が「タルバガンごっこ」というのをやってくれた。タルバガンというのは草原に住む大きなイタチのような動物である。用心深いくせにかなりマヌケで剽軽《ひょうきん》な顔をしている。このあそびは子供がすっかりタルバガンになってしまうので面白い。

「らくだあそび」というのもおしえてくれた。オオカミとラクダと馬による全身ジャンケンのようなものらしい。

らくだはこの国の言葉で「テメー」という。早口の、なにかまったくわからないモンゴルの子供の話の中に、このテメーという言葉だけがひとつだけとびだして聞こえてくる。

このあたりはらくだの遊牧もけっこうさかんで、夕陽の中をふたこぶらくだがその巨大な体をのそのそゆすって歩いているのを自分のゲルの中から見ていると、ここはやっぱりずいぶん遠い国なのだなあ、ということに気がつくのだ。

ゴビ砂漠の上を
雲と同じ方向に
とびながら
考えていたこと。

モンゴルの草原でキャンプしながら映画を撮影していた。七週間の間毎日草原や雲ばかり見ていたので気持の底がかなりぼんやりしていた。

ウランバートルからソ連製の飛行機に乗って北京《ペキン》へむかう。すでに何度か飛んでいる空路だったが、眼下にひろがる広大なゴビ砂漠を真上から眺めているのが好きだ。

沢山の雲が飛行機の進む同じ方向にゆっくり走っていた。強い陽光が砂漠にいくつもの雲の影をつくり、それが雲と同じ速度でゆっくり動いていく。それが当然の動きではあっても、ぼくにはとても面白い風景に見えた。

時おり思いがけないくらい唐突に、小さな集落らしいものが見えてくる。砂漠の引っかき傷のように細く長く続いている白っぽい筋が、実は人の通う道であったのだ、ということを知ったときのなんだか不思議な安堵感《あんどかん》。

わずかに二十戸ぐらいの家が寄り集っているような砂漠の中の集落は、いまにも四辺の広大な赤い砂の大海に呑《の》み込まれてしまいそうで、やっと人の気配を見つけた安堵はつかの間のものにすぎない。

草原の中でキャンプしていた七月、撮影休みの日に馬に乗って半日ほど川ぞいのルートを上流へむかった。そうしてふいに二つか三つ寄りそうようにしてかたまっている遊牧民のゲルに出会ってなんだか不思議に心の底がやわらかくなった。厳しい大地のつらなりの中で、いきなり出会う人の気配というのはどうしてこんなにあたたかいのだろう。

そこで出会った遊牧民の男は、馬でやってきた突然の外国人にかなり戸惑っているようだったが、やがてゲルの中にいったん戻り、中国製のブリキの魔法瓶の中に入った塩ミルク茶を持ってきた。朝方いれたらしいそれはまだ充分にあつく、そしておいしかった。

七週間の仕事を終えて、川ぞいのその草原をあとにしたのはまだほんの三日前のことなのに、もうぼくは飛行機に乗って別の国の上空にいる。

ミルク茶をふるまってくれた遊牧民の男の顔を思いだそうとしたのだが、悲しいことにぼくの貧弱な記憶の力はもうその男の貌《かお》をひどく曖昧《あいまい》なものにしていた。

男はミルク茶をのんだあと、またゲルの中に戻って古い本の裏表紙に貼ってある小さな老女の写真を指さし、何事か言った。最初は彼のつたえようとしていることがわからず、ぼくはただぼんやり困っていたのだが、やがてその写真が死んだその男の母親らしい、とわかった。でもどうしてそれをぼくに見せ、そして何をつたえようとしていたのか、そこのところはとうとうわからなかった。

川ぞいに馬を走らせたのは、帰りに戻るべきところを間違えないようにするためだった。

馬でほんの三十分も進んでいくと、あたりの風景はみんな同じになって、太陽の動いていく方向とその時間を厳しく正確に知っていないと、自分のいる場所がまったくわからなくなる可能性がとても大きかった。

川を二度渡った。浅瀬を捜し、川底の泥の中に馬のひづめをとられないようにするために、川を渡るときはいつも気持が引きしまった。

二度目の渡河のときに、鞍《くら》の腹帯が緩んでぼくだけ川の中にたたき落された。鞍が馬の腹の側に回りこみ、それまでおとなしかった白い馬はびっくりしてかなり暴れた。

ぼくは頭から水をかぶった情けない恰好《かっこう》のまま、馬が落ちつくまで水の中にころがっていた。

やがて馬の鞍を直し、着ていた服を脱いで川原に干した。馬は機嫌を直し、そのあたりの草をのんびりたべはじめた。

その半日の小さな旅を、広大すぎるゴビ砂漠の空の上でしきりに思いだしていた。いま眼下に見える小さな集落の中に、誰か旅人はいるのだろうか——。

——飛行機が中国領の内蒙古《うちもうこ》にだいぶ入ったあたりで、機体の下にほんの一瞬小さな虹の切れ端を見つけた。おそらくその雲のあたりはほんの少し前まで激しい雨が降っていたのだろう。

虹は折り重なる雲の中で困ったように大急ぎで形をととのえ、やがて急速に薄れて消えた。

草原にキャンプしている間、何度か虹がでた。一度は目の前にいきなり巨大な虹があらわれた。アーチの根元がくっきり草原から突き出ているのが見えるくらいの、おそるべき正確かつ真面目《まじめ》きわまりない虹で、黙ってただもう見上げていることしかできないほどの力強さだった。

あの日、風は果してどの方向からどのくらい吹いていただろうか、ということが少し気になった。

キャンプの間中、風はいつもどこかしらの方向から吹きつけていたが、虹の出た日に果してどんな風が吹いていたのか、そこのところがちっとも思いだせなくなっていた。

もしかするとあんなに大きな虹というのは風がとまったその瞬間に出てくるものなのかもしれない、とフト思う。そうでないとあんなに巨大な虹は吹きつけてくる風にすぐさま流れていってしまうだろうから——。

いくつかの夜に星がうるさいくらい大量にそして激しくまたたいた。天の川があの正確で巨大な虹のときのように、そのミルク色をしたような白い銀河の帯を夜の地平線から突き出させていた。天の川は夜の空の白い帯となってぐるりと天蓋《てんがい》を半周し、またもう一方の端を闇《やみ》の大地にもぐりこませていた。

そのときは月がどこかに行ってしまって、星だけの夜空であった。おーいおまえたちよ。こんなに沢山の星を昼のあいだいったいどこにかくしていたのだ。おーいお前たちよ。星たちよ。

ぼくはゲルの外のつめたい風の中に立ちすくみ、真上の夜空を見上げてそのようなことを考えていた。

ある夜、同じように星だらけの空の中を、小さく光る点がゆっくりゆっくり同じ速さで通りすぎていくのを見た。流れ星のようなうたかたの光ではなく、夜空を飛翔する正確移動発光物体である。すぐにそれが人工衛星であることに気づいた。どこの国がいつごろこのあたりの天空を回る軌道に打ち上げたものなのか見当もつかなかったが、それはたしかにしっかりと、星よりも生き物に近い息吹《いぶき》をもって、じわじわと真面目な昆虫のようにして、天空を走っていくのだった。

ゴビ砂漠をわたっていく飛行機の中で、その日の夜空の走る光点のことを思いだす。あの人工の星はいま頃どのあたりを、彼は彼の用事のために飛んでいるのだろうか——。

南の島で待っていた
海と魚とスコールと
やるせないほど紅い花。

前章は飛行機の窓から砂漠を眺めながら日本へ帰ってくる話を書いた。そして今回も飛行機の窓の外の風景から話をはじめよう。ぼくは飛行機でどこかへ向うとき、もしくは帰るとき、見おろす窓から写真を撮るのが好きなのだ。

その日は沖縄の海を見ながら、小さな島にむかっていた。九人乗りの小型双発機だ。

海の上をかなり低く、ぐわぐわ揺れる飛行機の窓から、めざす島を見つけたときの心の弾み具合というのは格別なものだ。

小さな飛行機のエンジンがずっと間断なく体をコキザミに揺すっているので、その島へ飛行機で行くときはいつも他愛なく睡《ねむ》ってしまう。目的地が近づいて、機が高度を下げていくと、それによってエンジンの音が変るからなのか、あるいは体のどこか睡っていないところが「そろそろ到着だ。おきろおきろ！」と呼びかけているからなのか、不思議に首尾よく到着前に目がさめる。

その島には懐かしい海の友人が沢山いる。陽にやけた彼らの顔を久しぶりに見て、（ああ、なんだか帰ってきたみたいだなあ……）と思った。東京湾の海べりで育ったからなのだろう。どうも海べりにいると気持が安心する。海を見るのはそれが今年はじめてであった。久しぶりの海の気配がことのほか嬉《うれ》しかった。

その日は島の青年団主催の「海岸星空映画上映会」がひらかれる。本日上映される映画は数年前にぼくが作った犬と男の出てくる映画だ。

海風にやられてすっかり床の錆《さ》びた軽トラックに乗って、準備中の上映会場へ行った。錆びて穴のあいた軽トラックの床から走りすぎていく道路が見える。まるでヒコーキみたいな自動車なのだ。

村営野球場のバックネットに大きなスクリーンが張られているところだった。リーダーのたかしが梯子《はしご》の上から「やあ、よくきたね」と、まっ黒い顔をほころばせる。たかしは若い頃のフーテンの寅《とら》さんによく似ている。映画の中の寅さんのように人情味があって気持のいい男だ。

映写係は「パイナップルツアーズ」という沖縄の映画を監督した青年で、監督が映写係をやってくれるのだから申しわけない。

あらかた準備ができたところで「とりあえずカンパイしよう」とたかしが言った。この日のためにたかしらは昼にみんなで海にもぐり、追い込み漁をしてきたのだという。

大小さまざまな魚が刺身になったり焼かれたりサカナ汁になったりしている。サカナ汁というのはとにかく大量のサカナをだしにして味噌《みそ》仕立てでたべるもので、これが妙に南国の火酒泡盛にあう。

潮風に吹かれてぐびぐびやっているうちに日が暮れてきて、上映可能の状態になった。

青いビニールシートをひいた客席に若い観光客の男女から地元の老人子供までざっと五百人ぐらい集っていた。

上映前に「カントクの挨拶《あいさつ》」というのをやる。

空にきっちり星が出ていた。

「子供の頃の夏、こんな星空の下の上映会を見て育ちました。だから今夜、自分の映画をこんなふうにして見てくれるのはとても嬉しい。のんびり見て下さい。あきたら寝ころがって星でも見てください。ぼくも子供の頃そうやってました——」

ぼくはそのようなことを言った。とりあえずパチパチパチパチ。

映画が終って二分後ぐらいにいきなりスコールがやってきた。南の島のスコールはバケツどころじゃなくて、プールをひっくりかえしたようなすごいやつだ。

それにしてもなんという美しいタイミングであろうか。

——翌日、たかしの船に乗って海へもぐりに行った。六人の青年男女。ぼくもその日はセーネンだ。

北海道からきたという亜子さんと才子さんは道産子《どさんこ》のわりには水泳が上手だった。

久しぶりに見る青くて静かな世界。おびただしい数の魚が泳いでいる。水深五メートルのあたりに群れてじっと動かない百匹ほどの細長い魚の群は鼻の鋭くとがったダツである。沢山のひらひらの飾り物をゆったり動かし、じっとあたりの様子をうかがっている魚がいる。このクレージーホースのダンサーみたいなのは毒のあるミノカサゴ。岩の間からヒメジャコが二センチほどのすき間をあけて触手をゆらめかせ、おいでおいでをしている。

　体がつめたくなると船に上って船底にあおむけにベタリと寝ころぶ。すると見事に船と一緒に体が揺れて、雲や太陽もついでに揺れる。

　少し前までいた、まだ一度も海を見たことのないモンゴルの草原の遊牧民のことを思いだす。あのいつも長いキセルをふかしていた長老のムングトヤさんは相変らずプカリプカリと小さなケムリを吐き出しているだろうか。ポンプ小屋のソクトさん（ヨッパライさん）はやっぱり少しふらつきながら、今日も正しい人生のことを考えているだろうか。おーいあの時の日々の草原の人々よ、カントクはまた海の国へ帰ってきて、いま海の上でぷかぷか揺れているんだぞー。

　なつかしい気持でそう思った。

午後、たかしからバイクを借りて、一人で島の裏側へ行った。高い断崖《だんがい》の上に立つと、海が大きくシワをよせたようにうねっているのが見える。遠くに背の高い黒雲がひときわ速いスピードで動いていく。あれは雨を降らせる雲だ。

青すぎて濃すぎるくらいの空の下に、紅すぎて少し困ってしまうようなハイビスカスの花が咲いていた。足もとの草むらを用心深い目をして小さなトカゲが「タイヘンだタイヘンだ！」というように大あわてで走っていく。何がタイヘンなのかぼくにはトカゲの事情がよくわからないのだが、遠い空にも、こんなにすぐそばの足もとにも、沢山の夏があふれかえっているようで、とにかくぼくはこよなくうれしい。

この島で一番高いところに展望台があって、そこはまったく無人だった。というよりも、たかしの家からバイクで村の裏側の道に入ったときからずっと誰にも会っていないのだ。

こんなに美しい風景を一人じめにしちまっているのが、うれしくてもったいなくてもどかしくて少々くやしい。どうしたらいいのだ。

夕方、小さな船で島をあとにした。波止場にたかしと亜子と才子の北海道娘が見送りにきてくれた。

「来年またくるからね」とぼくは言った。

「来年といわず、秋にでもまたきて下さい。今度はキャンプをしましょう」

たかしが生真面目《きまじめ》な顔で言った。そうだなあ、南の国の秋の日々に、キャンプでもしたら気持がいいだろうなあ。そうだそれはいい考えだ。手を振りながらぼくもきわめて真面目にそう思った。

丸

こんどは何処で
窓のむこうに
流れる雲を。

何かの本で読んだのだけれど、人間は窓のない部屋に長時間いると次第に精神のバランスを欠き、それがたとえば何かの力で強引に閉じこめられていたりした場合は、長時間に及ぶにつれて完全に狂気化していくそうである。

ぼくなどは閉所恐怖症だから、その心理はよく理解できる。閉所恐怖というのは、狭いところが怖い、というだけでなく、閉ざされたそこから自分の意志で自由に動けなくなる状態、というのがつくづくおそろしいのだ。

かつて若い頃、盛り場で喧嘩《けんか》して警察の留置場に三泊ほどしたことがあった。留置場は二階にあって、入口は格子戸になっていたが、外側からガシャリと施錠され、もう自分の意志で自由に水をのみに行くこともトイレに行くこともできないのだ、ということを理解したとき、どっと恐怖の閉塞感《へいそくかん》が体をおそった。その房には他に自動車ドロボーとサギの男が一緒に入っていたし、格子戸のむこうには見張りの看守がいたから、大丈夫、このままずっと一生ここに囚《とら》われているわけではない、と必死に自分に言いきかせ、できるだけ早く心をやすらかにしていようと思った。

四、五人用の雑居房は、まわりの壁が厚いコンクリートで囲まれていて、高いところに小さな窓がひとつあった。見上げるとそこからよく晴れた秋の空が見えた。ああいうところで秋の空を見るというのは不思議な感覚のもので、つくづく空の色は青いのだなあ、どうしてなのだろうなあ、と思ったものだ。

二十歳《はたち》になりたての頃に交通事故で頭を強打し、脳内出血のために四十日間ほど入院していたことがあった。最初の二十日間ぐらいはベッドに寝たまま起きあがることは許されず、ずっと真面目《まじめ》にベッドの上にあおむけに寝ていた。

病室の窓から空が見えた。窓のむこうの廂《ひさし》の関係で空はナナメに区切られて、ぼくのところからは三角形の空しか見えなかったが、朝おきたときまず最初に目に入るその三角形の空がうれしかった。

СК БЛУМА ПИЕГ

入院していたのは冬の日々であったから、空の色は短い時間しか見ることができなかった。けれど晴れた青空は安定し、その頃の日々は三角形の青空を目的もなしにずいぶんながいこと眺めていたのだった。

旅に出ていろいろなところに泊る。ホテルでも旅館でも、窓のカーテンや障子をあけたまま睡《ねむ》るのが好きだ。うまくいくと夜は寝たままの恰好《かっこう》で星が見えることがある。

電気を消すと月の光が、思いがけないくらいの明るさで部屋を照らしたりすると、なんだかその夜を得してすごすような気持になる。

都会のホテルなどでは、部屋の灯を消すと外の方がずっと明るくて驚くようなことがある。月も星もない汚れた曇天の夜であっても、林立するいくつものビルのあかりや、ネオンの点滅や、それらを照りかえす雲の反射が、ホテルの窓から見る中空をとてつもなく明るくしているのだ。

ぼくはベッドの枕の上に腕を組み、そんな外からの人工の照度を眺める。密閉したガラスが外の音をかなりうまい具合に遮断しているので、ひとたび窓の外に出たら鼻白むような猥雑《わいざつ》な都会の喧騒もそこには一切入りこんでこない。そういうサイレントの夜のあかりが、なんだか奇妙にやるせない。

あれはどこの国を旅していたのであろうか。

西域の小さな町の、古い木造の宿泊所で、ぼくはいつものように窓のカーテンをおろさずに睡ったのだ。そうして朝のかなり強い外からの明りに目をさますと、窓の外に人の姿が見えた。

なんだかとてつもなく頭の巨大な怪物のようなものが、ぼくの部屋をじっと覗《のぞ》きこんでいるのだった。

ぼくはあわてて目をこすり、すっかり目をさますようにした。窓の外の怪物はぼくが目をさましたのを知って少し頭をガラスから遠ざけるようにした。すると怪物の頭は急速に小さくなった。そうしてその頭を自由に膨張させたり縮めたりすることができる怪物はぼくの顔を見て黙って笑うのだった。

怪物と思ったのはただの少年で、そこは二階の部屋の外側に小さな回廊ふうのものがぐるりと張り出していて、人が自由に歩き回れるようになっている。そうして少年の怪物頭のナゾは、上下二段にわかれた窓のガラスの屈折率が随分ちがっているからなのであった。

あまり精度の高くないガラス工場でつくられた歪《ゆが》みの多いガラスは、上の段だけ凸レンズのようになって、そこを覗くものを全部大きく見せてしまうのだ。

少年はまた笑い、ぼくも笑った。

歩くとそこいら中がぎしぎし鳴る木の部屋はそれはそれで奇妙にここちのいい場所であった。

厳寒のシベリアを旅行したときは通された部屋の三重窓からは、もう何も外の風景が見えなかった。外はマイナス五〇度にも下っており、ガラスにはびっしり氷が張りついていた。

三重の一番内側の窓をがたぴしいわせながら無理やりあけると、そこに留まっている冷たい空気がひらりと顔や体の表面を撫《な》でていく。その内側の空間に水筒を入れておくと半時間ほどで凍ってしまう。凍らせる前に取りだしてウオトカで酔った体や頭を正気づけるのだ。でも水筒を入れたまま忘れてしまうことが多く、翌日の旅のしばらく中々とけてこない水筒に苛《いら》だつ、ということがよくあった。

　窓があっても外の風景が見えない部屋というのはなんだかとても息苦しいもので、厳寒の国に生きる人々の、みんなどこかしら憂いを含んだような顔つきを沢山見るたびにそんなことが影響しているのかもしれない――と考えたりした。

　シベリアのホテルのベッドは細長くて、通常の大きさの毛布を半分にタテオリにして丁度いいくらいのものだった。スチームは効いているけれど、なんだかどうも気持のそこいらが寒々しく、睡るときは毛布の上に厚い防寒着をかけるようにした。

　午前十一時をすぎないと明るくならないので、そのときの旅はいつも暗い中で眼をさまし、暗い中を出発していく。眼がさめても明るい窓の見えない朝はやはりどうもはてしなく心の内もくらくて息詰まるのだった。

　――どこを旅していても、窓からの空がいつもとても気になる。晴れていても曇っていても、たとえ雨ばかりでも、窓から空が見える部屋がいい。

　そうして四角く区切られたむこう側を、雲がゆっくりのったりと動いていく風景を、もっといろんなところで、いろんな気分で眺めてみたい、と思う。

北の国の
小さな山のてっぺんで
新しい暮らしを
はじめた。

東京と北海道のふたつの町に住んでいる。まだ仕事の関係で東京の家にいるほうが多いけれど、徐々にウエイトを移し、やがては北国の住人になろうと思っている。北の国に新しい家をつくろうと思ったとき、どうせなら山のてっぺんの家がいい、と思った。

何年かかけてふさわしい土地をさがし歩き、漸《ようや》く目的にかなう小さな山を見つけた。でっかい栗の木とクルミの木が枝をひろげ、ふもとまで果樹園がひろがっている。

山の頂きはドングリの実のようにとんがっていて、そこに家をたてるわけにはいかないから、てっぺんを削って平らにした。削ってできた土は、ふもとから登ってくる道に利用した。工事をしている間、キタキツネの姿を何度か見た。ふたこぶの山を手に入れたので、もうひとつの山はそのまま残してある。キタキツネはどうやらその山のどこかにすんでいるらしい。いつかその山のてっぺんに登ってみたいと思っていたが、イタドリの葉やクマザサがおい繁《しげ》っていててっぺんに行くまでは相当な藪《やぶ》こぎをしなければならないようで、さらに土地の人がこのあたりの山にはまむしがいる、というので断念した。

そうして秋口から少しずつその家に住むことにした。

そこは果樹園とウイスキー工場と、海と山と川のある町だった。ぼくは妻と「海山川町ちょっとずつ探険隊」というようなものを結成し、文字通りその町のいろいろなところをちょっとずつ歩き回り、ちょっとずついろんな体験をした。

家からはいつも青黒く沈んで見える海は、港の堤防に行ってみるとけっこう元気のいい波濤《はとう》を打ちよせており、大型のカモメが騒々しく沢山飛び回っていた。

釣り人も多く、うまく潮が回ってくると、チカという名の海のワカサギや、カレイがよく釣れるのだという。チカはテンプラにするともうタマラナイヨ。と、土地の人が本当にタマラナイ顔をして言った。

その港に河口がひろがっていて、全長二十キロほどの小さな川が流れこんでいる。流れはゆるく、手こぎのオールでさかのぼっていけそうだった。

「釣りをやること。そしてチカをテンプラにしてタマラナクなること」

「川をカヌーでさかのぼること」

ぼくはそこでこのふたつの「いつかやるぞ目標」をたてた。

次にクルマで山の方へどんどん入っていくと、そのあたりでキノコ採りをしているおばさんに出会った。聞いてみるとラクヨウという少しヌメリのあるうまいキノコが採れるのだという。キノコ採りは、最初は土地のよく知った人におしえてもらわないと毒キノコがあったりするので、「キノコ名人と知りあいになり、ラクヨウを採りにいくこと」という新たな「やるぞ目標」ができた。

もうひとつ嬉《うれ》しい発見は、漁港のある町なので、新鮮な魚を取りそろえた魚屋さんが沢山ある、ということだった。

東京の町はスーパーの切り身魚が主流で、町の魚屋さんはどんどん姿を消している。海辺で育ち、魚が好きなぼくはそれが都会生活の不満のひとつであった。いくつかの魚屋さんの店先を見ているうちに大きなヒラメを売っている店に出会った。ヒラメは高級魚で、東京などでは中々手に入らない。値段を聞いてみると耳を疑うような安さだった。ヒラメと一緒にそのあたりでしか獲れない赤ガレイも買った。

その日の夕食は町の夜景を見ながら白身魚の刺身で乾杯——であった。

秋の北国の生活はそのようにして探索と発見ですぎていった。

晩秋のある日、夜半からものすごい風が吹きだした。風は陸風で、海にむかって吹きぬけていく。山のてっぺんに建っている家だからそれはもうすさまじい勢いで強風がぶつかってくる。絶えず吹きつのる風によって家の回りを三千人ぐらいの狂女が泣き叫びながら走り回っているようであった。二階で仕事をしていたぼくは、テーブルの上の原稿用紙がコキザミに揺れているのを見て本格的に不安になった。

家が吹き倒されてしまうのではないかと思ったのである。様子を見るために外に出ようとすると、風の吹きつけてくる方向に出入口があるので、玄関のドアがあかなかった。

風は夜中吹き荒れて、そして次の日から急速に冷えこんだ。北の国に冬がやってきたのだ。

十二月に再びその家に行くと、もうラッセル車で雪を吹きとばしてもらわないとたどりつけなくなっていた。雪道の自動車の運転ははじめてのことで、緊張しながら山のてっぺんにむかった。

雪をかぶった家は、もうすっかり北の国のたたずまいでぼくと妻を迎えた。窓から白い街と秋よりももっと黒っぽくなった海が見えた。

ストーブをつけ、家の中を掃除していると、ものすごい音がした。窓の外を雪のかたまりがどしんどしんと落ちていくのが見えた。しばらく無人だった家に人がやってきてストーブの火が入ったので、家があたたまり、屋根に積もった雪がツララと一緒に落ちはじめたのだ。

おびただしい数のカラスが雪の中を舞っていた。

着いたその日の夜、吹雪《ふぶき》になった。窓の外を激しく舞う雪を見ていると目が回りそうだった。雪を見ながらウイスキーをのんだ。雪の舞いとウイスキーの酔いでさらに目を回し、くらくらしながら睡《ねむ》った。

雪は一日で三十センチほども積もった。

雪だらけのもうひとつの山は、スキーをはいていけば登っていけそうだった。裏にシールを貼ったクロスカントリー用のスキーをつけて、その日はじめて裏の山へ登った。てっぺんまでいくとそこは二十本ほどの木がかたまっていた。この山に名前をつけたいと思っていたが、キタキツネが住んでいるようなのでコンコン山かなあ、と思った。しかしそれではどうも平凡すぎて面白くない。またひとつ課題ができた。

降りるときはこわいほどの急斜面だった。何度もひっくりかえりながら降りていくと、宅急便のクルマが登ってきて、ぼくのころがり降りをすっかり見られてしまった。

冬の魚屋さんには大きなタラが沢山並んでいた。それでタラチリをつくったら、いままで東京でたべていたタラチリは一体なんだったのだろう！　と思えるような味でつくづく驚いてしまった。タラが魚ヘンに雪と書く意味がよくわかった。

次の日、町で一番大きなスーパーへ行き、長靴を買った。北の国の長靴は膝《ひざ》まである長くて巨大なつくりで、上部に把手《とって》がついている。これをはくと、なんだかすっかり雪国探険隊のような気分になった。

シベリアの
一番美しい街
イルクーツクの思い出。

札幌《さっぽろ》でイルクーツク生まれの映画監督、アレクサンドル・ソクーロフ氏と会った。小柄ながら眼の鋭い、いかにも重厚芸術派タイプの顔つきをしていた。

イルクーツクは〝シベリアのパリ〟といわれているほど街並やそのたたずまいの美しいところで、ぼくはちょうど十年前に二週間ほどその街に滞在した。

泊ったホテルの前に大きな白い川が流れていた。毎日マイナス三〇度にも下るので、川の水の方が気温よりもあたたかく、川からは常に温泉のような湯気がたちのぼり、夜になると街路樹の枝や葉についた氷が美しく輝いた。

そのことを思いだし、イルクーツクはまだシベリアのパリとして美しいままですか？　とソクーロフ氏に聞いたのだが、氏はイルクーツクにいたのは三歳までで、

よまにゃ

今日、読んだコトバは、
明日のキミになる。

その後行ったことがないので殆《ほとん》ど記憶がないのですよ、と申しわけなさそうに言った。

そうすると、イルクーツクの町は外国人のぼくの方がよく知っていることになる。ソクーロフ氏はたしかにその通りで「私は自国のシベリアの都市にはまだどこへも行ったことがなくて、むしろ日本の都市のほうがくわしいくらいだ」と笑った。

まあそうなのだろうな、と思った。ロシアは広大だから、特別何かの用がなければあまりあちこちへ動き回らない。ましてやシベリアに住む人々が観光としてモスクワやサンクトーペテルブルグへ行くことはあってもその逆はないのだろう。

それにしても冬のイルクーツクは本当に美しいところだった。街を行く人びとはみんな厚い外套《がいとう》ですっぽり身を覆い、若い女の人はあたたかそうな毛皮のフードをかぶり、年輩の女性は毛布ぐらいの大きさのショールで頑丈に頭や肩を寒さから守っていた。

晴れても日照時間はせいぜい三時間ぐらいのものであった。遠くの街はずれの、森のすこし上のあたりに、ぼんやりした光の太陽があがると、それは三時間ほど殆ど同じ高さのあたりをごろごろ横に動いていって、早めの午後に沈んでしまう。そんな頼りない太陽であったけれどそれでも太陽が出るとあたたかかったし、気持もやすらいだ。

イルクーツクはまだいたるところ馬車が走っていた。多くは一頭の馬にひかせた荷車だったが、時おり三頭だての豪華なやつが、馬の首につけた鈴の音を鳴らしながら力強く走りすぎていく。走っていく馬はその大きな鼻から左右に盛大にひろがる白い息を吐きだしていくので、まるで蒸気機関車のようだった。

馬はしかし蹄《ひづめ》をもち、そこに蹄鉄《ていてつ》を打ちこんでいるからいい。気の毒なのは犬で、かれらは爪以外は柔いところでそのまま歩くようになっている。

マイナス三〇度ほどにもなると、座っている犬は交互に前足をあげている。そうでもしないとつめたくてかなわないのだ。そしてやっぱりというか、なるほどというか、猫は街中で殆ど見かけなかった。

外はそんなふうに極寒だが、ホテルの中は四六時中スチームがきいていて、Ｔシャツ一枚でいられる。洗濯物をしても、部屋や洗面所のあちこちに露出しているス

チームパイプに下げておくと、シャツなど半日で乾いてしまうのがありがたかった。

乾燥した部屋にいるとつめたいものがのみたくなる。けれどシベリアの街はどこへ行っても水がまずかった。ビールはめったなことでは手に入らず、時おり電撃的に売り出される偶然を待つしかなかった。

あるときその偶然がやってきた。ホテルのメイドがつたえてくれた情報で、一人一ダースを限度に半日だけ売り出しがあるという。そこでぼくは二人の同行者とその販売所へかけつけた。

ロシアのビールは日本でいうとサイダーの瓶を少し太らせたくらいの大きさで、ガラスはうすい緑色をしている。かなり大ざっぱに注入しているようで、瓶によってその分量はみんなマチマチなのだ。

早く並んだ甲斐《かい》あって、我々は見事に三ダース分を手に入れた。これさえあればシベリアの永すぎる夜も見事に楽しくすごせるというものだ。

次の販売日がいつかわからないので、我々はそこに滞在している間ずっとそいつをもたせようと、一人あたりの割りあて本数をきめて「あともう一本のみたい!」

というやるせない欲望をきびしくおさえ、タカラモノの長期保存をこころがけた。しかし、この我々の涙ぐましくけなげな節約作戦はある日無惨にそのすべてが打ち砕かれた。

その日三人が揃《そろ》ってものすごい下痢になったのだ。朝からうんうん唸《うな》るくらいの、激しい腹下しである。

そうして結論からいうと、我々はビールに〝あたった〟のである。

それもあとでわかったことなのだが、ロシアのビールは、よその国のビール製法とちがって、熱による殺菌消毒も微生物の濾過《ろか》も何もしていないシロモノで、永くおいておくと腐ってしまうのだ。

あとのまつり、とはこのことで、我々はあのつつましいビール節約の日々を無念に思い返しながら、やわらかい腹をかかえて残した半分以上のビールをすてた。

イルクーツクには翌年の夏にも行った。雪の都市はやっぱり雪に凍りついているほうが美しかったが、それでも冬とまるっきり様相を変えた川の岸辺にはつかの間のまぶしい陽光を求めて水着姿になった人々が寝そべっていたり、ロシア式アイスクリーム売りが歩いていたりで、気分のいい風の中、街そのものがのんびりくつろいでいるように見えた。

この街の多くの家は木造で、百年以上たっているような古い家が殆どであった。どの家も重厚に彫刻のほどこされた飾りつきの窓があって、それらは冬の間三重窓として固く閉ざされていたのである。

夏はその内側に花を飾っている家が多かった。中南米や南ヨーロッパの人々も窓に花を飾るのが好きだが、この寒い国の飾り花は地味なものが多く、それらを植えてある鉢はブリキのミルク缶をそのまま使っている。

けれど、その粗末な花のかざりものが、かえってみんなして短い夏を精いっぱいよろこんでいるように見えた。

ビールは、夏になるともう少し一般的になって、レストランにいけばいつでも飲めるようになっていた。

けれど夏ならなおさらビールが早く悪くなるような気がして、その日に買ったビールはその日のうちにぐいぐい飲んでしまった。この買ったら素早く飲まねばならない——というのは実に都合のいい口実で、イルクーツクの夏の夜はビールばかり飲んでいた。

時おり花は
何を考えて
いるのだろう、
と思うことがある。

時おり、かなり真剣に、犬は何を考えているのだろう……と思う。

街角で、漁師の村で、山里で、時おり実に物問いたげな犬のまなざしに出会うことがある。カメラを持っているときは、カバンの中からそれを引っぱり出す。犬は目をそらさず、こちらのやることをじっと見ている。そしてカメラをむけても、犬は目をそらさずにいる。

犬はたぶん「写真」のことは知らないから、そこでニンゲンが何をしているのかさっぱりわからない。

「なんだろう?」と思う気持がずっとニンゲンを見つめさせるのだろう。

日本のいろんな町で見る犬はなんだかみんな哀しい目をしている。それは日本だけが犬を紐《ひも》でつないでいるからでもあるのだろう。

犬をいつもつないでいる国というのは本当に日本ぐらいのものだ、ということを多くの日本人はあまり深く考えない。そのことがとても不思議だ。犬を紐でつながなくては飼えないような国は、本当は犬など飼ってはいけないのだ。

犬はヒトに話しかけられるのがとても好きだ。ニンゲンが何を言っているのかわからなくても、とりあえず自分に何か関心をもってくれた、ということが嬉《うれ》しいらしい。

多くの国が、犬を紐でつながずに自由にさせているのは、犬に定期的に餌《えさ》をあげる余裕がないからでもある。犬に何か食べ物を与える心配をする前にニンゲンが食べるものを捜さなければならない。

だから犬は否応なしに自立して、自分の食べ物を捜しに歩く。そうして犬は犬同士、自分たちの犬社会をつくってなんとかやっていく。

餌を与えられなくても、夜になれば飼い主のところに戻ってきて、いつもの自分の寝場所に行く。そうしてたとえば夜更けになにか怪しいものがやってくると、敵然とそれにたちむかっていく。そういうところがとてもいい。つくづく愛すべき人間のともだちである。

パタゴニアの小さな町で、花にしきりに吠えている犬を見た。まだ仔犬《こいぬ》で、その吠え方はいかにも幼なかったけれど、ぼくにはその仔犬が吠え方の練習をしているように思えておかしかった。

時おり花は何を考えているのだろう……と思うことがある。犬にくらべると、花はいかにも何も考えてはいないように思えるが、でもそれだったら、どうしてあのようにニンゲンが見て美しく咲くのだろうか。そこのところがとても不思議だ。

花が美しいのは、その美しさによって花粉を媒介する虫を集めるからだ、ということは子供の頃知った。そのときは「ああなるほど」と思ったが、しかしその後じわじわと新しい疑問が生まれてきた。

虫の目にとって、あの花の美しさは本当に美しく感じるものなのだろうか。虫のあの小さな目に、あの花の美しさが本当にわかっているのだろうか——。

そうなると今度は虫の考えを聞かなくてはならなくなる。話はますますむずかし

くなってしまうのだ。

そこまで踏み込まないようにして、やはり再び、人間の目と花の美しさについて少し考えたい。

花があまり人間に対してここちよく美しすぎると、人間はその花を切ったり折ったりして自分のものにしてしまうから、花の命からすると目下のそれは少々間違いではないのか——とも思う。命を捨てた媚《こ》びとでもいうのだろうか。

花が「それならそれでいいのよ」と思っているのだったらとくに問題はない。花の考え方もまたひとつの命の生き方であろうと思うからだ。

ぼくが、生まれてはじめて花を「美しい」と感じたのは、あの仔犬が吠え方の練習をしていたパタゴニアの旅のときであった。

プンタアレナスという、チリのもっとも南のはずれ（つまり南極に近い）の町で中々やってこないマゼラン海峡へむかう船を待っていた。一月だった。その国のさむくて短い夏の季節である。

街中の隅の小さな路地の端にタンポポとスミレとレンゲが仲よく並んで咲いてい

るのを見つけた。路地の端だから、いつニンゲンに踏みつぶされるかわからないようなところだった。

春と夏と秋がいっぺんにまとまってやってくるような、厳しい国の〝一瞬の夏〟に、その三つの花は大いそぎで必死に咲いているのだった。

「ああ、君たちは君たちで本当に一所懸命なのだなあ……」とそのときぼくは思わずその三種類の花の前にしゃがんで、しみじみそう思った。そして花というのは静かに「美しいもの」なのだな、と思った。

——通りすぎていくヒトの見つめていく風景はどんどん変っていく。歩いていくニンゲンの視野からはずれると、犬はまた何を思うのだろうか。花もまた何を思うのだろうか。

その年の冬、新潟の燕三条《つばめさんじょう》という町で小さな講演をした。地元の有志が、水のことを考える会というものをつくっていて、そこに呼ばれたのだった。ぼくは日帰りで忙しい時間だったが、話を済ませたあと、その地元有志たちがひらいてくれた夕食会に一時間だけ参加した。

一人の青年が、ぼくの前にきて「自分のことおぼえているでしょうか？」とやや遠慮がちに言った。そういう時はなんとか思いだしたいのだけれど、残念なことにあらゆる記憶の断片をさぐっても瞬時のうちには何も思いだせなかった。青年はそうであろうことを予測していたように、自分のことを話しはじめた。

「十歳のときに写真を撮ってもらいました。佐渡島《さどがしま》のオオノカメという田舎の町です。その写真を『風景進化論』という本で発見しました。あのときの左手に包帯をまいていた子供が自分です」

青年は少々気恥しそうに言った。

『風景進化論』という本の中の写真をぼくはものすごいスピードで思いだしていた。自分の書いた本だけれど、もう十年以上前に出したものだから少し時間がかかる。でも間もなく思いだした。

「ああ、あの時の……」

「そうです。だから今日そのことをつたえたくて……」

青年は二十二歳であった。通りすぎていく風景の中で、そのあともしっかり逞《たくま》しくニンゲンは生きていくのだ、ということがなんだかまぶしかった。同じ本の中に出ている雪の日の犬や、野辺の小さな花のことをそのあと少し考えた。

林のはずれに
立っていた
白い杖の老人と
少々すっぱい赤ワイン。

旅行の途中で、なんだか随分気持の底がほっとする風景に出会うことがある。

しかし、そこは別だん風光明媚《ふうこうめいび》というようなところでもなく、美しい観光地という訳でもない。

たとえばありふれた野辺で、どこでも見るような家屋が少しあって、もうずっと長いこと自分の人生のあちこちで眺めてきたような雲が動いている。

ただそれだけのものなのだけれど、なんだかこんなところに数週間居住できたらいいな、と思えるような、そんな唐突な気分になる風景だ。

その集落の一番南側に小さな家があって、そこには誰かが住んでいる。

どんな人が、どのようにして、どんな気分で住んでいるのだろうか――というようなことに少しの間思いを走らせる。そうして、もしできることなら、その家が見えるところにしばらく腰をおろし、その家に住む人々の姿をぼんやり眺めていたいものだ、などと思う。

見ていられる方は随分迷惑な話だろうけれど、それはまあたまたまそこを通りかかった小説家の酔狂として少々大目に見てもらいたい。

なんとなく気になる家があって、そこに住んでいる人々を実際に目にして、そのあと少し考える時間があったら、たぶん小説家はその家を舞台にした小さな話を書くことができるだろう。すぐに書かなくても、いつかとんでもないときに、何かまるで別のストーリーの中の、思うべきモデルの家やその背景として、その家が登場してくるかもしれない。

だから、知らない土地を歩いているときに目に触れるもの、とりわけ、よく理由はわからないのだけれど、なぜか気になってならないものを目にしたとき、私は素直にそのものを、もっと深く感じよう、と思うのだ。

あるとき風のつよい土地を旅行していた。町から町へは百キロほども離れているので、殆《ほとん》ど人家もなく、その途中クルマを停《と》めても出会う人などもいなかった。ところが、小さな川のそばでひと休みしていると、近くの林の中からふいに小柄な老人があらわれて、遠くから我々をじっと眺めていた。それは実に唐突な登場のしかただったので、もしもそのとき一人で見ていたならば、白昼の幻覚と思いかねないくらいであった。

「あ、あの人はこのあたりに住んでいるのだろうか……?」

私たちの質問に、我々のクルマを運転していたその国の男は少し黙って考えるしぐさをした。

「こういう原野にも、電柱の架設工事をしている人が移動しながら住んでいたりします。そういう人かもしれないけれど、それにはあそこにいる人は少し年をとりすぎているかもしれませんね」

その男はそう言って曖昧《あいまい》に笑った。

杖《つえ》を持った老人は林のはずれに立ったまままずっと私たちを見ているだけで、とくにそれからどうしようとしているのかわからなかった。

「まあまれに、町や仕事をすててしまってこういう原野に住んでいる人もいます。そうしてまれにその人は犯罪人であったりもするわけです」

「ああ、なるほど」

私たちは頷《うなず》き、ときおり吹いてくる風の中で、みんなして少しの間だまりこんだ。暗くなるまでに次の町に着いていたかったので、やがてクルマに戻り、その日の旅を続けたが、私たちのクルマが走りはじめると、杖を持った老人はいくらか私たちを追うようにしてそのあたりの草原を歩いた。

私は何度も振りかえり、すっかり姿が見えなくなってから、その老人の人生のことをいくらか知ることができたらいいのにな、と思った。

そこからさらに少しいくと、今度は家族づれらしい数人が風の中の道を歩いているのに出会った。

白い杖をついて歩いていた老人と出会ったときと同じように、そのあたりも人々の住む集落など何もないようなところなので、とても不思議な存在に思えた。

私たちのクルマはゆっくりと追いこした。

その人々はみんなして何かうたっているようだった。できれば止まって少し話を聞きたいような気分だったが、かれらは通過していくときにちょっと手をあげるくらいで、今はもっぱらうたのほうに忙しい、というようなあんばいにみえた。

通りすぎていく者と通りすぎていく者が、もう二度と会えない、ということが時おりなんともむなしい人生の悲しみのように思えることがある。

そんな気持になるのはきまって旅に出ているときで、それをつまりはセンチメンタル・ジャーニーというのだろうか。

一日中かけてようやく町に着き、小さな安宿に入る。ホテルはその町にひとつしかなくて、食事をするところもひとつだけだ。つくられる料理も一種類だけなので、客はもうとにかく黙ってテーブルの前にすわればいいことになっている。

旅行者はあまりいなくて、あとの客はその町にすんでいる人々のようであった。

恋人らしい二人づれがいて、窓辺の席でなんだかひどくムッカシソウな顔をして話し込んでいる。

人口はたぶん三百人ぐらいの町だから、恋人らしいその二人のことは町中の人が知っていて、そうして目下はこの二人に何かただならぬ事件がおきたのかもしれない……ようにも見える。

私はあまり上等とはいえないすっぱいワインをのんで、退屈まぎれにそんなどうでもいいようなことを考える。その町は少し前まで砂金をとる人々の前線基地として栄えたのだという。砂金の採掘量が減って人々は別の土地へ散ってしまったというが、まだ砂金採掘場に残って一攫千金《いっかくせんきん》の夢を追いかけている人もいるらしい。

そうか、じゃあもしかすると、昼間林の近くで会った白い杖の老人は、そんなふうに残存の砂金を掘っている一人であったのかもしれないな、と、砂金の採掘現場が果してそのあたりであったのかどうかも知らないくせに、そのように考えたりする。

うたをうたって帰っていく家族づれはファミリーの砂金採りで、さっきは久しぶりに大きな砂金のかたまりを見つけ、うれしくなってうたをうたっていたのだ、と……。

そうしてこのレストランの若い二人は何かの夢に破れて明日どこかの土地へ男の

方が去っていくのだ——と。

すっぱいワイン一本の勝手なストーリーが、一日の旅の終りの小説家の頭の中を、のんびり勝手にくるくる回っていく。

その男は
夜更けの町を
どんなふうに
帰っていったのか。

なんだかいつも原稿の締切に追われている。長いのや短いのや中くらいのが、いつもぼくの背後のどこかにひそんでいて、振りむくと《締切》という口をあけて脅やかす。

ぼくは旅が多いので、ちょっとむかしの陳腐な歌謡曲の文句じゃないけれど、締切の渦まく都会を逃れて、おれは一人遠い町へ行くのさ、などと気どったつもりでどこかの見知らぬ港町なんていうところへ逃げても、締切は先回りしてその町で容赦なく待っている。

まわりの、そんなことを知る人々は、いつも苦しむ程沢山の原稿を抱えこまなければいいじゃないか、と簡単に言うのだけれど、そんなに無思慮になんでも引き受けている訳じゃない。むしろその反対で、できるだけ引き受けないようにしているのだけれど、気がつくといつだっていつの間にか自分の回りは締切だらけになっているのだ。

旅の途中、列車の中から通りすぎていく外の風景を眺めていると、時おりそんな目前に迫った締切から逃れるために、窓の外の風景の中にいるその土地の別のヒトに二、三日だけのり移ってしまえたらどんなに楽だろうか、とどうにもしょうがないことを考えたりする。それもその時はけっこう真剣に……だ。

たとえばいまぼくは信越線の特急に乗って長野へ向っている途中なのだが、さっきからぼくの斜め前に座ってうつらうつらしている男が気になっている。年齢はぼくより少し若いくらいで、その風体からして、どこかの地方都市で自営業などしているかんじだ。さっきビールを握っていたその男の手を、原稿が書けないままぼんやり見ていたら、農業ではないらしい、と思えた。顔はほどよく皺《しわ》が刻まれ、なかなか味わいのある人生演歌的ないい顔をしている。商人でも役人でもなさそうだ。ビールをのんだあとにカバンから引っぱり出した本はどこかの商店の包み紙でカバ

ーをしていたから、そこそこの読書家であるらしい。

唐突だけれど、造り酒屋の杜氏《とうじ》、なんて仕事が頭にちらついたが、それにしては陽にやけた顔がそぐわない。そうだ、釣りが趣味で、休みのたびに近くの川や沼に行って小魚を釣ったりしているからなのだ。家には五歳ちがいの妻がいて、二人の子供がいる。大学生の長男は東京で下宿していて、丁度その日、仕事があって上京し、息子の部屋へ一泊してきたところなのかもしれない。家には高校二年になる長女がいるが、近頃はあまり父親と話をしない。妻は田舎の生まれでつつましく、ひっそりと生きている。

網棚の上に乗っている青い人工皮革の鞄《かばん》はその人のものらしいが、その中には、東京で買った妻や娘へのみやげの菓子が入っているのだろう。

いまこの瞬間、何か不思議な力をもって、自分がその人になってしまえたらどんなに面白いだろう、とやくたいもないことをさらにずるずると考える。

この人の思考とこの人の体になって、でもどこかにほんの数パーセントの率で、この人はとりあえず数日だけ自分が体とその存在を借りているだけなのだ――という自我意識があって、その分だけ客観視できる。

そんなところまで考えていたら、天井のスピーカーからアナウンスがあって、間もなく上田に到着する、ということを告げた。

その人は目を覚まし、繰りかえされているアナウンスに一瞬すべての神経を集中させると、即座に降りる身仕度をはじめた。そうかこの人は上田に住んでいるのだ。上田ならばこれまで何度か来ている。別所温泉に向う小さな私鉄電車があって、その電車の窓は一部が丸いのだ。塩田平という心地のよい田園を走っていく。

濃い灰色のありふれた形のコートを着て、首に黒いマフラーをまいた。

青い人工皮革の鞄はやはりその人のものであった。コートのポケットの中に手を突っ込んだのは切符を確かめているのだろう。それから反対の手で鼻と口もとのあたりを力をこめてごしごしこすり、何かいちどきにいくつかのことを考えるような顔つきをして、ゆっくり出入口の方へ歩いていった。

その人の体と存在になって、そのままぴったりくっついていきたいものだ。駅からはどのようにして家に帰るのだろうか。自分の車が駅のどこかに置いてあるとも思えない。妻が迎えにきているということもあるまい。旧《ふる》い造り酒屋なら、駅から歩いて十分ぐらいのところに家があるかもしれないから、コートの衿をたて、背中を丸めて少し早足でもう殆《ほとん》ど表の戸の閉まった上田の通りを歩いていくのだ。

　妻は美人であろうか。あの齢まわりなら、妻は四十代。都会の生活ではないから、地味な気配でいるだろうけれど、きっと静かに夫の帰りを待っているだろう。家に入るときになんというのだろうか。地方の生活をしたことがないぼくにはもうそこから先は想像もつかない。本当にその人になって家に入っていけたら、もうひとつの自分の人生を小説に書くことができるのだろうに……と、ぼくはまったくもってとらえどころのないもどかしさにむなしく扼腕《やくわん》する。

　上田で降りたその男の席に、五十代半ばぐらいの、痩《や》せてなんだか歩く足もとが一足ごとにこんがらがっているようなヘンテコな男がやってきて、どすんと座った。古ぼけた茶色のジャンパーを着て、片手になんだかとてつもなく騒々しくガサガサ音をたてるビニール袋を持ち、そいつをさらに激しくガサガサ動かしながら、とりあえずあたりを見回した。ぼんやり眺めていたので、ついそいつと目が合ってしまったが、どうも全体の気配ありようからいって、その人の生活や人生の断片がうまく頭に組みたてられない。果してその人が酔っているのかいないのか、の見当もつかないのだ。

ぼくはその人のことは諦《あきら》め、あのさっきの男が妻を前に酒を呑《の》んでいるさまを思い浮かべることにした。杜氏だとしたら、自分の蔵の酒を呑むのであろう。きき酒のときの酒の味わいかたは、口の中で舌をタテに細長く丸めるようにして、そこに酒をころがす。舌に酒をころがすとその芳香や味の微妙がわかるのだ。でもそれは仕事の呑み方だから、晩酌のときにはそんな呑み方はしないだろう。妻の作った田舎料理に箸《はし》をのばしながら、男は東京で下宿生活をしている長男のことをぼつりぼつりと話しはじめる。

汚い台所のこと。息子から借りてきた本のこと。上野駅までくるときの雑踏。列車の斜め向い側に座ってなんだか気が抜けたように呆然《ぼうぜん》とした顔をして、白紙の原稿用紙を広げていた中年のおかしな男の話——など。ひとくちふたくち呑むたび、男はぼつりぼつりと話していく。

ベルハウエル
3805型機は
ガリリガリガリと
やかましく回った。

何度かの手紙のやりとりで、漸《ようや》く〝それ〟を手離してもいい、という返事を貰《もら》った。相手は老人で、少々耳が遠くなっているので、電話ではなく手紙でこまかい用件をつたえてもらいたい、という。

老人の手紙は達筆だった。それに対する自分の手紙文字がまるでうじゃうじゃとコマカイ虫どもがヨッパライ歩きをしているようなひどさなので、はじめは果してこちらの言うことが理解できるだろうか不安でもあった。

けれどその日、漸く話がまとまって名古屋から名鉄に乗り、十五分ほどのところにある小さな埃《ほこり》くさい駅に降り、老人の家にむかって地図通り歩いていたのだから、ぼくの手紙はおおかた判読されていたことになる。

老人を知ったのは「小型映画」というその方面の趣味雑誌の常設コラム《商品マーケットつうしん》であった。

その頃ぼくは十六ミリ映画という、アマチュアではあまりやらないような、けっこう本格的な映画機械とそのシステムによる個人映画づくりに凝っていて、すでにボレックスというスイス製の映画撮影機と編集機、それにセメントスプライサーというフイルム接着機などを持っていた。いずれもその雑誌のマーケットつうしんで、それらの機械を売りたい、と申し出ている人と個人的に連絡をとり、買ったものだ。

映画を撮影してそれを編集し、フイルムをつなぐところまではできても、映写機がないとそれを映すことができない。ぼくのほしい映写機はフイルムを映すだけでなく、マグネットを貼りつけた特殊フイルムに人の声や音楽を録音できる機能をもっているものであった。これを使えば個人のつくるたった一本のフイルムでも、音や音楽のついた小さな映画にすることができる。

名古屋の老人は珍らしくもその機械を〔売ります〕と言っていたのだ。もとより古い機械である。老人の手紙には「尤《もっと》も私が使用したことはなく、補修点検に至らず」というただし書きがつけられていた。

《ベルハウエル十六ミリ映写機３８０５型》というのがその機械の名称だった。何度かの手紙のやりとりで老人とぼくとの間で折りあいのついた価格は果して買得なのかそうでないのか正直な話よくわからなかった。

地図は駅を降りるとすぐに踏切を渡り、小さな商店街を通り抜けて、突き当りのいなり神社を左に曲がり、道なりに少し登り坂を上っていけばすぐにわかる、と書いてあった。説明文字の方が多くて、くねった太字の線が、これでも道のつもりかというぐらいいいかげんに記してあるヘンテコな地図であった。

はじめて歩くその町は、まあ日本中どこでも見るありふれた風景なのだろうけど、その日ぼくは電車を降りたときからあきらかにコーフンしていた。なにしろ欲しくて欲しくてたまらなかった幻の機械である。代金はその当時のぼくの月給分ぐらいしたけれど、そんなふうなよろこびの気分を考えたら、どうこう言っていられなかった。

なるほど「簡単ですよ」と手紙の地図に書いてあったように老人の家は難なく見

つかった。道路に向って古びた木の門があり、それをあけるとすぐ目の前に玄関があった。門は道路の埃よけなのかもしれないな、と思った。

老人は意外と思うくらい大柄で、角ばった顔をしていた。どのような時に着るのかわからないが、青い詰襟の服を着て、コールテンのズボンに足袋《たび》をはいていた。

「何も迷わなかったがでしょ」

と、老人はその体軀《たいく》と角ばった顔からはこれも思いもよらないようなカン高い声を出し、ぼくを玄関の隣の小部屋に案内した。石油ストーブの臭いがいちめんに漂っていて、なんだか陰気くさい家でもあった。

部屋のまん中に目ざす幻のベルハウエルがあった。付属品のコードと、フイルムのリールがそのかたわらに置かれている。老人の家族は出払っているらしく、老人がお茶を入れに行った。

その間にぼくはもう殆《ほとん》ど撫《な》でさすらんばかりに目の前の目的の機械をながめていた。

聞いていたとおりいかにも永い年月をへてきたようで、駆動装置をカバーする外装はあちこちが剝《は》げていた。

十五分ほどで簡単に話はついてしまった。ぼくも値切らなかったし、老人もとくに何も言わなかった。話の途中で、老人はかつて四国の高知で古物商をやっており、外国人からこれを買ったのだ、と言った。

駅までそれを手で持って歩いた。最初は手に入れたよろこびとコーフンでそうは思わなかったのだろうが、しばらくそいつを持って歩いているうちに本当はとても重いものなのだ、ということに気がついた。駅に向う道が下り坂になっているのが唯一の救いであった。季節は春だったがまだそれほどあたたかいという訳でもなかった。それでも五分ほどで汗が吹き出てきた。

上着を脱いで、その上着を機械の上にのせ、五分歩いては数分休む、というようにして駅までの道を歩いた。別に急ぐ理由はなかったが、でもなんだか気がせいた。

踏切をこえたところで声をかけられた。自転車に乗った老人が追いかけてきたのだ。

「説明書が、台座の裏に貼ってある。しかし英語だから私には何もわからんが」

老人はそのことをつたえにきたのだった。

《ベルハウエル３８０５》は、いまぼくの仕事場の斜めになったガラス屋根の下に置いてある。

あれからもう二十年はたってしまったから、少なくてもこの機械は五十年以上前のものだろう。

二十年前の春の日、家に帰ってさっそくこの機械を回してみた。磁気録音のインプット可能の機械なので、普通の十六ミリ映写機よりも沢山の真空管が使われているようだった。アンプ部分をあたため、手持ちの十分ほどのフイルムを装塡《そうてん》し、メカニズムのスイッチを入れた。ものすごい音がしてあっちこっちの歯車やプーリー機構が回転しはじめた。しかしその音は本当にまったくとてつもなくけたたましく、映写機というよりも脱穀機か何かのようだった。こんなにものすごい音がするのでは通常の映写はおろか、録音などもってのほか、ということがわかった。

それから少したって、こういう機械にくわしい人にその話をしたら「どんな安い物だって、機械を買うときは先方の目の前でそれを動かして試してみるものですよ」と少しアキレタ顔で言われた。

くやしいので、あちこち油をさし、何度かこれでフイルムを映してみたが、やはり使いものにならなかった。

そしてもうこういう物を引きとる業者もなく、そいつはいまだにぼくの部屋で申しわけなさそうにとりあえず「ムム」とだまってすわっている。

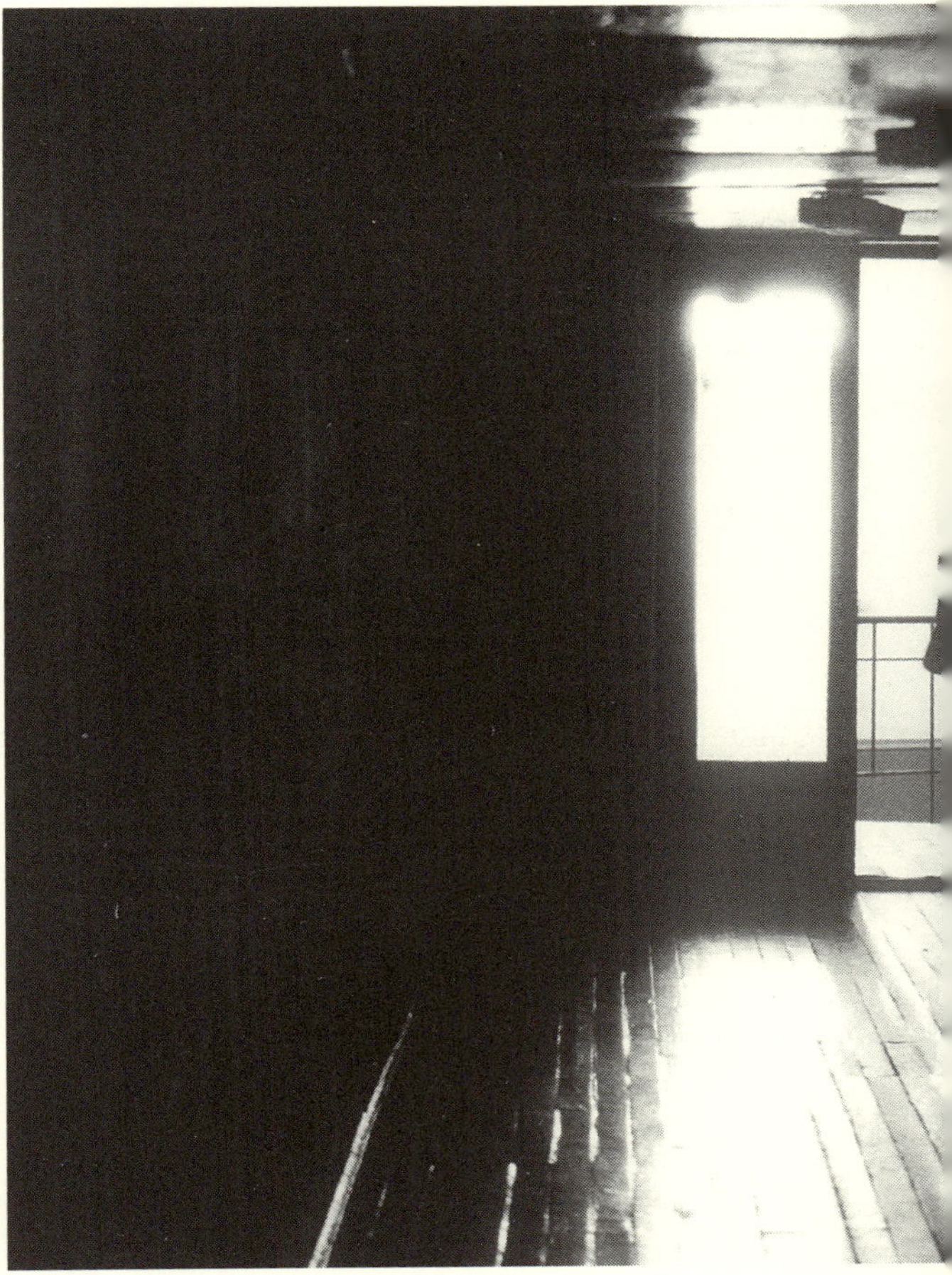

通りすぎてきた
砂の中の村。
そこに住む
静かな人々……。

その村へ行くまでは砂とのたたかいだった。砂はあるところでは塩を含んでひきしまり、たえず地表を這《は》う風にさらされていくつもの固い波形をつくっていた。石がまじると、地虫さえも寄せつけない大地の殻のようになった。風にそよぐ草木はなく、飛んでいく鳥の姿も見えなかった。まさに死んだ地表だった。けれどもその死んだ大地も、それからあとにひろがる気の遠くなるほど広大なやわらかい砂の大海にくらべると、旅をする者にとってははるかに凌《しの》ぎやすい世界だった。

砂の海はいっけん優しく、ひっそりと穏やかな表情で私たちを迎えた。けれどそれはまったくつかの間のまやかしでしかなく、大地は凶暴な本性をむきだしにし、小一時間もたたないうちに、私たちはまったく進退の余地を失なっていた。大地に埋まる車輪。気化器《キャブレター》の奥まで入りこんでいく微細な砂粒。私たちは心配した以上の砂地獄の中で苦悶《くもん》した。全身が砂にまみれ、寝袋の中も粗末な食べ物の中にも容赦なく入りこむ砂に痛めつけられた。地表だけを舞う小規模な砂あらしがくると呼吸することさえ難しくなった。これでもし本格的なあらしがきたら――と命の不安さえ感じる頃に漸《ようや》くめざすオアシスの所在を示す鉄塔が遠くに見えた。

それが幻でないことを祈りながら、私たちは四輪駆動車の前にもう何万回くりかえしたかわからないような、サンドブリッジをさらにくりかえして敷きつめながら、じわじわと文字通り砂上を這う瀕死《ひんし》の昆虫のように、みどりと水のある世界へとむかっていった。

――高いポプラの木が印象的だった。ポプラはこずえのあたりを走るわずかな風の中で、ゆるぎない緑の兵隊のように、きちんと整列していた。その下に綿花畑がひろがっていた。地下を流れる雪どけの水路、カレーズがこのあたりで地表に露出し、それが土地をみずみずしくふくらませているのだ。

思いがけずオアシスの道はひろびろとしていた。日干しレンガで固めた古い家が町の中央部に集っていて、軒下の陽かげでハミウリを売る商人が地べたにすわっていた。

犬やブタやニワトリが思い思いにうろついていた。一番気の強いのがニワトリのようで、たえずうるさく鳴きながら、土で固められた道を走り回っていた。床屋とよろず屋と食堂が並んでいた。宿は政府の管轄するものが一軒あって、頼めばそこで水を浴びることができる、ということを聞いた。

裏庭に大瓶《おおがめ》があって、水はその中に溜《た》められていた。カレーズを流れる水を溜めてあるから、少し濁っていたが、冷たくてうまかった。一人バケツ一杯ずつの配分を受けて、それで顔と髪と体を洗った。水に濡《ぬ》れた頭や体が空気に触れると全身がふるえた。体の表皮からみるみる水分が蒸発していくのがわかる。大気が乾燥しつくしているのだ。

体をさっぱりさせて食堂に行くと洗面器のような鍋に入れた赤いスープがでてきた。香りの強い野菜と羊の肉が唐辛子で煮てある。砂粒がまったく入っていないのがとにかくうれしかった。

私たちがそれをたべていると、村人たちが次々に店の窓から覗《のぞ》きにやってきた。埃《ほこり》をよけるためだろう。女たちはみんな色とりどりの大きなネッカチーフを頭からすっぽりかぶり、手や足に沢山の装身具をつけていた。

夕方になると、野良仕事に行っていた農夫たちが帰ってきて、通りはずっとにぎやかになった。中央の町から何か大量に買いつけてきたらしい商人が、一輪車の上にさまざまな品物をのせて、大声で売り歩いている。かれが一番力をこめて売ろうとしているのは先端が三角形になった新しい農具のようであった。

「はーれーくう　はーれくーう」と、その商人はくりかえし、よく通る声でそう叫んでいた。

夜になるとポプラ並木のむこうにいきなり輝度のつよい月が出た。

ほかのどの土地で見るよりもその月は平坦《へいたん》で白く光っているように思えた。月が出るとあちこちにいる犬がうるさく啼《な》いた。それは以前別の砂漠のオアシスで泊ったときと同じだった。犬たちは光のつよい月を見ると気を昂《たかぶ》らせるのかもしれない。

犬の騒々しさに刺激されてブタやロバもあちこちで鳴きだした。

宿の粗末なベッドをきしませて、ぼくもなかなか寝つけなかった。こういう村に何日も滞在し、寝苦しかった日の翌日はカレーズの流れるあたりに行き、大きなポプラの樹かげなどでゆっくり昼寝でもできたらどんなに気持がいいだろう、と思った。

けれど旅は続いていた。

ありがたいことにそのオアシスから西はまた固い砂漠になった。

二つの干上った河を越えた。そのうちのひとつは塩が結晶になっていて、まるで氷の張った川のようだった。ずっと昔、この砂漠のまん中を、水をたたえた川が流れていたのだという。その頃のありさまを想像すると、頭の芯のあたりがくらくらしてくるようだった。氷のように見える塩の川はゆったりうねり、地平線の彼方《かなた》に消えていた。

二日かけて西域の大きな街に出た。市場の賑《にぎ》わいに緊張した。大ぜいの人々が行きかい、馬車やトラックが走っていく。軒先に吊《つる》したラジオの音や、遠くどこかで

鳴らされている鐘の音などが喧騒《けんそう》の中にとび抜けて聞こえた。

いい匂いに誘われるようにして歩いていくと、市場の奥でシシカバブを焼いていた。黄色いアルコールの入っていない飲み物を片手に、シシカバブの串をにぎるのがこのあたりの正しい食べ方のようだった。

バザールの露天商から巨大な鉄のオタマを買った。買ってもそれで何を料理するあてもなかったが、いつかそういう機会があったら、巨大な鍋のチャーハンを作る時に威力を発揮しそうだった。

懐かしいアイスキャンデーを売っている店もあった。食べてみるとさっきのシシカバブを食べるときにのんだ黄色い甘水と同じ味がした。きっとそれを凍らせたものなのだろう。邦貨でひとつ五円のザルを買い、同じく五円ぐらいで十個以上も買えてしまう大きなザクロをそこに山盛り入れて、宿に持ち帰った。

その町には三日間いた。もう旅は終りに近く、とくに何もやることはなかったので、毎日市場に行き、元気のいい人々を眺め、シシカバブをたべ、バザールを歩いた。

騒々しい喧騒の中で、ほんの少し前通りすぎてきた、あの砂の中のオアシスの村と、そこに住む人々のことを唐突に何度も思いだした。

南の島の昼下りに
チンチン少年と
再会した。

久しぶりに石垣島に行った。この島は映画を撮るためにかつて何度も足を運び、実際の撮影中は大ぜいのスタッフらと約二ヵ月、暑さにうだりながら合宿した。なにかと懐かしい島なので、機会があると再訪する。

その日は宮古島から日帰りの日程で、ほんの数時間港の近辺をうろつくだけだった。

八重山そばと、その店の自慢の大盛り氷あずきをたべ、いやはやマンプクマンプクなどと、海の近くの通りを歩いていると、中学生ぐらいの少年が通りを横切りながらとつぜん「うけえっ」などとなんだかアシカみたいな奇声をあげて立ち止まった。

少年は三人いて、その中のとても体のがっしりした一人が「あの……ちょっと。おぼえているかね」などと島ことばのイントネーションそのままに大きくてはっきりした声で言った。

なんのことだかよくわからなかったので、少し落着いて話を聞くと、その少年は西表島《いりおもてじま》に住んでいて、ずっと昔ぼくに会っているという。

「はてさていったいどんなところで……」となおもくわしく聞いていくと、映画をつくるよりももっと前、すなわち七、八年前に西表島に行ったとき、まさしくその少年たちと会っているのだった。

舟浮《ふなうき》という、そこに行くには島の中心地からの陸路がないので、船で渡るしかない、という隔絶された村があって、その村に数日間滞在していたことがあった。

民家の離れが民宿になっていて、そこに泊った。庭の樹に小さなコウモリが沢山やってきてそれは競って樹の実をたべていた。近くの民家ではひっきりなしにニワトリが鳴き、家の中ではヤモリがキーキーとカン高い声でうるさく鳴いていた。

この島で数日すごすうちに近所の子供らと仲よくなった。きっかけはチンポコで

あった。

ある日カメラをもって村の道を歩いていると、物置らしい小屋の屋根の上に乗っていた少年が、

「おーい、おーい。おーいそこのにいにい（にいちゃん）写真をとっちょくりい。チンチン出すから写真とっちょくりい！」

カメラをむけるとその少年はニコニコ笑いながら半ズボンの上にエンピツぐらいのチンチンをのぞかせてみせた。ぼくはすっかり嬉《うれ》しくなった。

都会を歩いていて子供らにカメラをむけると、まるでそれが写真を撮られるときの重要な約束事でもあるかのように反射的に指でVサインをつくってみせる。五人子供がいたら五人ともVサインだ。

腹立たしいのもあって「あっ、気をつけろ、あやしいおじさんだ」などといってカメラの前から逃げていく子供もいる。誘拐などもあるからきっと親や先生から、見知らぬ人に話しかけられたら用心するように、などとうるさく言われているのだろう。

しかしその南の果ての島の少年は、逃げるどころか男の大事なものをひっぱり出してくれるのである。

楽しくパチッと撮らせてもらった。

元来少年はこうでなくちゃあ。

現像されたその写真を見ているうちに、ふいに子供の頃のことを思いだした。千葉の海辺の町にすんでいた頃、友達の家のもみじの木によくのぼった。門のそばにその木ははえていて、すぐ下に置いてあるコンクリートの四角い用水槽が、のぼっていく恰好《かっこう》の足がかりになった。

沢山の枝が横に張っていて、いちどきに何人もの子供が登っていける。

そこであるとき五、六人の子供らと一斉に小便をして、雨ふらしごっこをやった。木の幹や枝を小便で濡《ぬ》らさないように枝の上に立って放水するのはけっこうむずかしかった。片手ばなしでズボンをおろしたり、おなかだけぐいと前にせり出すのは最初のうちはけっこう勇気のいる姿勢だった。

やがてこの〝にわか雨〟は下に犬やネコが通るのを狙《ねら》ってやる楽しみを知り、それがさらにエスカレートして、自分たちよりもっと小さな子供らが通るのを狙って放水するに至って、ついに仲間の母親に知られるところとなり、この人工雨ごっこは強引にとりやめになった。

焼かれた写真を見ながら、自分が子供だった遠い日々のことをなつかしく思いおこした。

あるとき兄とその仲間たちが「ミミズに小便をかけるとチンチンが腫《は》れる」という定説の実験に挑んだことがあった。

ミミズが沢山いる神社の裏のカメ池に行って泥をあちこち掘りかえし、ミミズを沢山あつめてそこにじゃかじゃか小便をかけた。

とても勇気のある行動で年下の私たちはさすがにアンちゃんたちは凄《すご》い！　とつくづく感心してみていたのだが、果たせるかな、その夜兄は見事にチンチンを腫らして、痛い痛いと一晩中泣いていた。

よって、ミミズに小便は絶対まずい、という認識を明確に植えつけられ、以来外で立ち小便をするときは、そこらにミミズがいないかどうかかなり真剣に注意するようになった。

しかしその後大人になり、何かの機会にこの「ミミズとオシッコと腫れ」の間にはなんら科学的な関連がない、ということを知った。

ではあのときの兄の騒動はいったい何だったのだろう、と思うのだが、それらの本にはそうしたことの解明も記されてあって、ミミズがいるようなところで立ち小便をすると、どうしても手足がそのあたりの泥で汚れていることが多いから、チンチンをさわる手から細菌などが入って、それで腫れてしまうことがあるのではないか——というのである。

なるほど当時は年上の兄たちは随分頼りがいのある立派な〃大人〃に思えたけれど、冷静に計算してみると、かれらもせいぜい十歳前後の子供だったのである。

さて、話は戻るが、その石垣島で久しぶりに会った少年がまさしく「おーいおーい」のチンチン少年であったのだが、本人は私と少しの間島であそんだことは憶えていても、そのチンチン写真を撮られたことの記憶はもうないようであった。

少々ハニカンでいる他の二人の少年も呼んで、私は港近くの土産物屋《みやげものや》でアイスクリームを買い、車座になってたべた。

少年たちはみんな西表島の子供らで、買物や娯楽の中心である石垣島にトレーニングパンツとシューズを買いにきたのだという。

用件はそれだけではなく、買物が終ったら、帰りの船までの時間にゲームセンターに寄っていく、というのを私はかつてのチンチン少年のはじけるように黒くよくひかる顔から聞いた。

「じゃあ絶対に船に遅れないようにしなよ！」などと、私は分別くさい大人の顔つきになって、街に入っていく少年たちに言い、ほどなく私も宮古島行きの船に乗ったのであった。

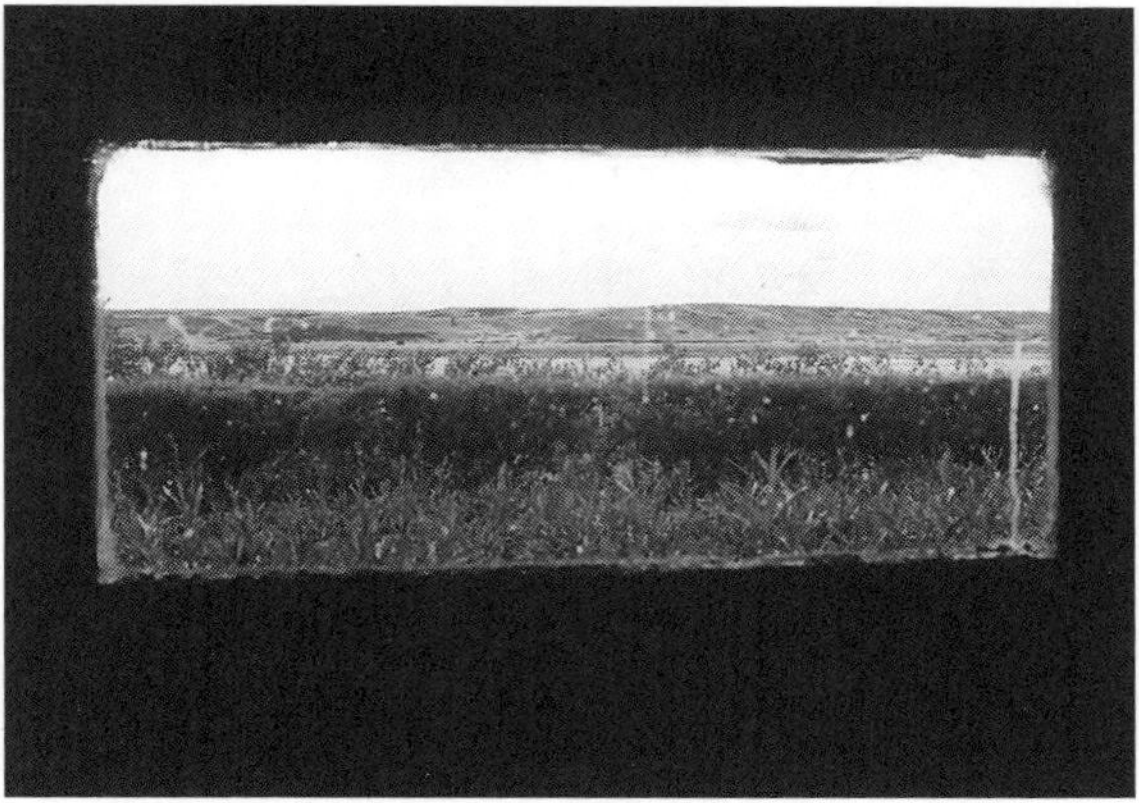

あやしい島で
接近してきたのは
ネコと髭男と
カミナリだった。

どこか行ったことのない島でキャンプをする、というのがその島旅の単純かつはなはだ曖昧《あいまい》な目的だった。

私は二人の仲間と、米軍払い下げの重いズック地製のテントをかつぎ、数日分の食料を持ってその島へ向った。飛行機代は高いので貨客船に乗り、まずいチキンライスばかり食わせる船内食堂にへきえきしながら、漸《ようや》く梅雨《つゆ》のあけたばかりの島に着いた。

観光客など殆《ほとん》どやってこないその島では、我々は港に着いたときから好奇の目で見られていたようだった。四百人たらずのその島は閉鎖的で、奇妙に沈んだ気配があった。

食料を持っていくかどうかで、私たちは出発前に少し迷った。とにかく四百人も住んでいるのだから絶対に店はあるし、食べ物だって普通にあるにきまっている――という一人の仲間の意見と、連絡船だけに物資を頼っている島なのだから何事も自給自足の覚悟で行ったほうがいい、というもう一人の意見とにわかれた。

結果は安易な折衷策というかんじで、何も食料が手に入らなくても三人が一週間ぐらいは食べることができるぐらいの米と調味料、そして副食のいくつかを持っていく、ということにしたのだ。

「酒がもし本当に何も手に入らなかったら……」という不安のためにウイスキーも一本荷物の奥に詰めておいた。

不安は半分あたっていた。島には店はあったが、塩や酢などの食生活の最低必要品ぐらいが目につく程度で、食料品はわずかに島の産物である干し魚や乾燥ワカメ、タレと呼ばれるクジラの皮などが並べてあるぐらいで、思った以上にさびしいものだった。魚がほしかったら漁師のところへ行ってじかにわけてもらうといい、ということを店の老婆《ろうば》に聞けたのが唯一の〝収穫〟といったところで、その店の老婆も実に陰気であった。

西ガ浜というところへ行くと、そこは一面に流木と漂着物がころがっていて、奇妙に壮観だった。そのあたりは昔小さな船の船揚《ふなあ》げ場に使っていたようで、雑草に覆われたコンクリートのスロープがあり、その先に朽ちた漁師小屋らしきものがあった。

流木が沢山あると盛大な焚火《たきび》ができるのでうれしいのだが、そのむこうにひろがっている海原は荒寥《こうりよう》としていて、船も人の影もなく、こんなところでテントを張って焚火などしていると自分たちも絶望的な漂流者の気分になってしまうのではないかと不安になるほどだった。

けれど夕暮になってくると、太陽が目の前に沈んでいくので、海はまったくもって頭がくらくらするような黄金色に輝き、この島でそれまで味わった不思議な緊張感がいっぺんに砕け散ってしまうのを感じた。

流木はよく乾いていて申し分なかった。暗くなってくると目の前の焚火がじつに立派な存在感にみちてくるのも思いがけないことで、さっきの店で買ってきた焼酎《しょうちゅう》が船旅で少々疲れた体にここちよくしみわたっていく。

夜の闇《やみ》が濃くなってくると、焚火のまわりに何か素早く動き回る動物の気配がした。仲間の一人が持ってきた夜間潜水用の強力な懐中電燈でその動き回るものをとらえると、それは数匹の猫であった。

猫は思いがけないほど沢山いて、我々の回りを鋭く瞬間的に目を光らせながら走り回っていた。

おそらくこの島に代々すみついて独自に繁殖したノラ猫の一族なのであろう。島の人々と同じように猫も我々の動静が気になるようであった。

二日間ほどよく晴れて、梅雨あけの時期特有の気分のいい雲が盛大にあらわれた。突いたばかりのモンゴウイカを安くわけてくれる漁師とも知りあい、しかもありがたいことに西ガ浜の岩礁地帯で投げるとけっこう釣れるという島独特の小魚釣りの知恵をさずかり、さらにその道具も貸してもらうことができた。

しかし三日目の夜にとてつもない雷雨がやってきて、私たちのテントは突風にたちまち吹きとばされそうになってしまった。雷鳴はすさまじく、あまりにも凶暴だ

った。

私たちはテントの中にいても全身水につかったようなありさまになっているので、もう半ばやけになって船揚げ場の漁師小屋に逃げこんだ。そこはいかにも蛇や毒虫がひそんでいそうな気味の悪いところだったが、雷に撃たれるよりはましのような気がした。

粗末な小屋だったが、常に突風にあおられているテントの中よりはずっとありがたく、私たちは少しでも乾いている場所を捜してそこにへたりこみ、水に濡《ぬ》れてぐしょぐしょになった寝袋を体にまきつけ、じっとうずくまった。

皮肉なことにそうやって緊急避難すると、そのあわてふためきぶりを笑うように、雷はしだいに間遠になり、強い雨も遠のいていった。

翌日はまたうまい具合に晴れたので、すっかり濡れてしまったキャンプ道具を乾かすのに忙しかった。流木を杭《くい》にしてテントなどを干していると、またノラ猫が遠まきにやってきて私たちのその作業をじっと眺めたりしていた。

午後になると仲間の一人がカヌーで沖に出て、地元漁師におしえてもらった釣竿《つりざお》を使わない小魚釣りに挑んだ。そいつは夕方までに見事十四ほどの小魚を釣ってきたのだが、どこでそうなったかわからないうちに毒のあるナニモノかに指を刺されてしまい、しきりに痛がった。

夕方になるとトーノと名乗る髭《ひげ》だらけの男が五十ccのバイクでやってきて、少し話していいだろうか、というようなことを言った。

トーノは頰《ほお》のはじのほうにいつも笑いをしのばせているようなおかしな表情で、私たちのタバコをすぱすぱ音をたてて喫《す》い、この島はずっと昔近親相姦《きんしんそうかん》が多くてそれで何人もが島を出ていったのだよ、というようなことを言った。それからカヌーで釣りに行った仲間の脹《ふく》れた指を見て、これはアカマンマにやられただけだからすぐなおる、とやっぱり頰のはじで笑いをこらえるようにして言った。

アカマンマという名の雑草があるのは知っていたが、海の中にそういう名の毒をもつ魚がいるとは知らなかった。

その晩はよく晴れて、夜空に流れる雲がよく見えた。十四の小魚はあの陰気な老婆のいる店でなんとか手に入れてきたいく種類かのしなびた野菜と一緒に煮てウシオ汁のようなものにした。

トーノは次の晩もやってきて、島の話をいろいろしたが、その殆どは島に住んでいる人のウワサ話のようなものばかりなので、その当人を知らない私たちはあまりよくわからないことの方が多かった。

トーノと前後してノラ猫たちもやってきた。かれらは前日よりもまたいくらか私たちと距離を接近してきているみたいだ、と仲間の一人が言ったが、私にはよくわからなかった。

その日は
白くて濃密な雲が
一日中西へむかって
走っていた。

島に着いて二日目の昼、宿の自転車を借りて崎の突端へ行った。その日は朝からいい風が吹いて、いかにも密度の濃そうな白くて巨大な雲が走っていたからだ。砂漠や草原の国にいても、そのようなカタマリ状の雲が走っていく日が好きだ。雲が太陽の光をさえぎると、巨大な影ができて、やがて雲の移動とともに陽光が戻ってくる。そういうことのくりかえしが楽しくてたまらない。

崎の突端にいくと、思ったとおり海の上はいくつもの雲の影が海原を走っていた。そこから眺めているとまるで雲の競争だ。

崎の突端に石碑が立っていて、そこに花束が置かれていた。数日前のものらしく、花は枯れていた。ずっと昔、日本が戦争をしていた頃、この崎の先端から二十キロぐらいの沖合で、沢山の子供をのせた輸送船が沈んだ。

崎からの眺めが少し悲しいのはそういう遠い日の記憶を、海がつたえようとしているからなのだろうか。

海はおだやかで、ここちのいい風は一定の方向へゆるやかに生真面目《きまじめ》に吹きわたっている。それなのに巨大な雲があんなに速いスピードで空を走っていくのが私には不思議でならない。

ずっとそのまま崎の高みに座っていると、ふいに沖からサバニがあらわれて、そいつはなんだか胸さわぎするほどあざやかな航跡をつくって進んでくる。

サバニの軽やかなエンジンの音が真昼の海にひびいている。この崎にはサバニが着けるような港はないから、きっともうすぐ舵《かじ》を切って進む方向を変えるだろう、と見当をつけると、その新しい行き先が妙に気になる。サバニが右へ曲がっても左へ行っても、とりあえず私には何の関係もないのだけれど……。

何をすることもなく雲を眺めて風の音を聞き、海の匂いに身をまかせている贅沢《ぜいたく》を、私はしきりに誰かにつたえたいのだが、それが誰なのかわからないもどかしさに少しわらう。

崎のまわりをアダンの林がとりまいていた。アダンはちょっと見るとパイナップルのような実をつける存在感のある南の木だ。けれどアダンの実はまずくてカラスもたべない困ったシロモノで、枝もたわわに沢山の実をみのらせるぶんだけかえってそれがどうにも悲しい。

アダンの林の中にところどころモクマオウの巨大な姿があった。長い葉をつけたこの踊り好きの木は、風が強い日は実に楽しそうで、そういうのを見ていると、木にもヨロコビの日とそうではない日というのがある、ということを考えたりするのだった。

崎から町へ出てくる途中でふいのスコールに見まわれた。この季節、スコールは何の前ぶれもなくやってくる。老人センター入口の深いひさしの下に雨やどりした。目の前にある小さな消防署の小さな消防車を激しい雨が叩《たた》いている。その消防車は本当に小さくて、絵本の中にでてくる「しょうぼうじどうしゃジプタ」に似ていた。

老人センターの横に公衆電話があったのでふいに誰かに電話をしようか、という気になった。けれど家には家族は誰もおらず、とりとめのない電話をかける相手で、記憶している電話番号はひとつもなかった。それに考えてみたら電話のカードも持っていなかった。

ナナフシが老人センターの入口の近くでじっと息をひそめるようにして静止していた。ナナフシを見るのは久しぶりだった。

スコールは意外に長い時間続いていた。激しい雨音を切り裂くようにしていきなりきんきんしたスピーカーから演歌をならした軽自動車がやってきて、そのままずんずん通りすぎていった。さっきのサバニにしても、いまのクルマにしてもこの島はどうもなんだかいろんなものがいきなりあらわれてくる。

そう思っていると、激しいスコールがいきなりやんだ。

大きな雲のかたまりが漸《ようや》く通りすぎていったのだ。

私は再び自転車で島の南岸沿いに出た。そのあたりは丈の長い草が繁《しげ》っていて、風の強い日は草がわらわら踊るので見ていると面白い。それにいましがたのような

481

激しいスコールのあとは、太陽に灼《や》かれた草が水に濡《ぬ》れてみんなしてよろこんでいるように見える。

南岸には私の好きな入江がある。そこはずっと以前この島にやってくる連絡船がまだ接岸できる港がなかった頃、はしけが着く荷揚げ場だった。今はその反対側の浜に立派な港ができているので、そこは殆《ほとん》どうちすてられたようになっているのだ。

古びた石積みの桟橋《さんばし》は山から切り出してきた大きな岩と岩を互いちがいに巨大な嵌《は》めこみパズルのように組みこんでいて、実に見事な眺めだった。

人の気配はまるでなかった。私の視界の隅にヒラガニどもがいたずら小僧のようにすばしこく動いていくのが見える。波がきてヒラガニをそっくり洗っても、波にさらわれずにいるのが私には不思議でならない。人間だったら、あれだけすっぽり全身にかぶさる波がきたらたちまち連れさらわれてしまうだろうに……。

この島へ来る直前、チベットを旅行している妻から手紙が届いた。妻がその山岳民族の国へ行ってもう四カ月目になる。久しぶりの手紙だった。

元気に馬で旅をしているという。四人のチベット人と毎日テントで寝起きする生活で、もうすっかりこの国の生活に慣れました、といつもの字ではずむように書いてあった。

妻の旅しているところは平均高度四千五百メートルほどらしい。妻は山岳の国の旅を続け、私は相変らず海のそばで雲ばかり眺めている。そういえば妻のいるチベットは「雲表の国」ともいった。やつはじっさいまったく雲の上にいるのだなあ、と思った。

宿の親父が、もしかすると、そこそこ形のでかいガーラが手に入るかもしれませんよ、と今朝《けさ》がた言っていたのを思いだした。うまくいったら今夜はガーラの刺身で酒をのめるかもしれない。

私が石積み桟橋の上でじっとしているものだから、ヒラガニどもが安心してそこらを素早く歩き回るようになった。ヒラガニのとんがった二本の目からは、私はいまどんなふうに見えているのだろう。また雲がはしってきて、私のいるあたりが暗い影になった。

私はその暗くなった瞬間を利用して桟橋の上にごろんとあおむけになった。まあ別に雲の下に入ったときを利用する意味はまったくないのだが、なんとなくヒラガニに気をつかったのだ。

あおむけになると、雲はいよいよ真剣にどんどん西の方向へ競争するように走っているのが見えて、私はそれが実におかしくて、また少し一人で笑ってしまった。

夏のおわりに
海岸べりの
無人レストランで
風に吹かれていた。

その夏の終りの頃、東北に住む親しい友人の奥さんが死んだ。友人は私と同じ歳だし、その奥さんも私の妻と同じ歳であったから、その訃報《ふほう》を聞いたとき、ああもう自分らはそのようなことに出会う年齢になってきたのだな、と思った。

友人の奥さんは病気で亡くなった。子供はなくまだ若々しい人であった。

私はいくつもの約束仕事に縛られていたので、東北の実家で行なわれたその葬儀には行けなかった。

とりわけあつい夏だった。

蟬《せみ》しぐれの中を、私は一週間の旅に出ていた。東北とはずいぶん遠い南九州のいくつかの都市をひとつずつ回っていく。仕事が終るとスタッフらと、一晩きりのその街の居酒屋で夕食をかねて酒をのむ。そういう日々が続いていた。

昼間、列車で次の都市へ移動していくとき、私は窓のむこうに、遠くチベットの高山地帯を旅している妻のことを想った。妻が三百キロの荷物を持って成田から旅立っていくのを見送ってからもう五カ月になる。時おり届いていた手紙も、山岳地帯に入ってからはとだえたままになってしまった。

二人の子供はそれぞれ成人して、アメリカの西海岸と東海岸に住んでいる。わが一家四人はいま全員別の風景の中にいるのだ。

夕方、日向《ひゅうが》の海を少し歩いた。少々整備しすぎの感のあるまっすぐな海岸線を、動きの遅い波がゆらりと洗う。

ビーチパラソルを三つ集めて、その下の陽かげでぼんやり海を眺めている家族がいた。父親らしき人が、膝《ひざ》から先を陽光にさらして、放り投げられた丸太のようになって睡《ねむ》っている。三人の子供は手もちぶさたのようだった。

海で泳いでいる人の姿は見えない。

どうやらそのあたりは遊泳禁止になっているようだった。

泳いであそべないのに、父親の昼寝につきあって、その子供らはここまでやってきたのだろうか。

母親の前に花ゴザがひろげてあって、その上に夏の果物が並べられている。みんな黙って海を見ているのが、なんだかとても不思議な風景だった。

夏の終りの海べりを歩くのが好きだ。繁《しげ》るだけ繁った夏草が、なんだか少し疲労したように午後の斜光の中で揺れていたり、盛夏の頃とくらべると、あきらかに力の衰えた雲が、それでもできるだけ形をきちっと整えていようと、力をこめるようにして空の高みを流れていくような、そういう風景を眺めて、海風に身をまかせている——。

そんな様子がなんだか好きだ。

営業をやめてしまったらしい海べりのレストランがあって、そこの自動販売機で冷たいビールが手に入った。見上げるとひさしのむこうに雲が走っていくところだった。

陽かげのテラスに座って風に吹かれ、ビールをのむ。夕方六時までに市内のホー

ルに行けばよかったので、あと二時間はとにかくまったく自由なのだ。

しばらく雨も降らなかったのか、テラスの木はすっかり乾いていて、歩くととところどころで軋《きし》んだ。木と木の間から草が顔を出している。

草はそんな隙間《すきま》を見つけて「しめた！」と思ったのだろうか、背くらべでもするようにかれらは一列に並んでこっちを見ている。

誰かが浜辺を歩いていた。いままでいなかった人だ。首に黄色いトレーナーをまいた中年の男だった。どっちみちたいした目的もないような歩き方だ。ここからは聞こえないが、口笛でも吹いているのかもしれない。

ビールをふた缶のんだ。空腹だったので、なんだか早くも軽い酔いが体のどこかを走っているようだ。

素晴しい日だ！

と、私は唐突に思う。

犬が一匹、ふいにあらわれ、もし「踊り走り」というようなものがあるとしたら、まさしくそういう走り方で、広い砂浜を横切っていった。さっき歩いていったトレーナーを首に巻いた男の飼い犬なのか、まったくその人とは無関係にやってきた犬なのか、私にはわからない。

その夏、アメリカに住んでいる息子がモンゴルへ行ったのだが、私が旅行している間に二日ほど自宅に戻ったようであった。台所のテーブルの上に彼の撮った写真が置いてあった。犬を飼っているのだという。その犬の写真だった。

アメリカ西海岸のどこかの鉄橋の上を、大型の黒い犬が、背中を少し丸め、獲物を狙《ねら》うようにしてこっちにむかってくるところだった。それが息子が飼っている犬のようであった。彼の下宿している家は海べりにあって、その犬とよく海岸を散歩しているのだという。

海べりを一匹だけで歩いている犬はどこか空腹そうに見える。自由だけれどとりあえずなんだかむかっていく先にこころもとなさが漂っているように見えるのはどうしてなのだろう。

東北に住み、妻を亡くしたばかりの友人も、若い頃アメリカの田舎の町に住んでいた。彼はそこでやわらかい米松《べいまつ》の木を材料にした椅子《いす》やテーブルを作る技術を得て、日本に戻ってきたのだった。死に別れた妻とはその修業時代に知りあって、自分たちだけでインディアンふうの結婚式をあげたのだった。

日本に帰ってきたばかりの頃は、彼の妻は頬《ほお》がこそげて色が黒いので、髪の毛を三つ編みにしているとまるでインディアンそのもののようであった。

仲のいい、しあわせそうな夫婦だった。

もう一本缶ビールをのもうかどうか迷った。時間はまだ充分あった。陽かげのテラスの上は思いがけなくここちがよくて、私はすっかりそこになじんでいた。

ずっと昔、同じようにして随分ながいことビールをのみながら海を眺めていたことがあったのを思いだした。

あれはどこだったのだろうか……。

しばらくの間、そのことを考えていた。記憶の断片に、沢山の鳥のなき声がふいにあらわれてふくらんだ。記憶の中で、おびただしい数のユリカモメがないていた。

グレートバリアリーフの、ヘイマン島の記憶だった。目の前におそろしく濃いブルーの海がひろがっていて、私はそこですっかりくつろいで、オーストラリアのフォーエックスビールをのんでいた。毎日朝から昼まで強い陽光が世界のすべてを照射し、夕方には半径二、三キロ幅の小さな雨雲がいきなり、しかし必ずやってきた。スコールがくると、風がにわかに冷たくなって、鳥たちが海上をはばたきながらざわめいた。その、決まったような日々のくりかえしが面白かった。

そういえば、いま私が眺めている海岸に鳥の姿はまるで見あたらない。どうしてなのだろう——、そのことについて、次に私は新しい思いをめぐらせることにした。

北の寒宿で
吹雪の海を
ながめていたら……。

寒い町の話を書きたいのでわざと選んだ旅館だったけれど、二日目から吹雪《ふぶき》になり、いまどき窓の隙間《すきま》のあたりから冷たい風が吹き込んでくるのには少々おどろいた。

明治の頃に建てた木造だから歩くとあちこちみしみしするけど崩れやしないから、と宿の老婆《ろうば》はもごもごした声で言った。

部屋には石油式のストーブとこたつがあって、なんだか旅館全体に石油のにおいが漂っていた。

隙間風も悪くなかった。海からの風がびょうびょうとおそろしいくらいの音をたてて、板と板の小さな隙間を通り抜けてくるのも、都会の生活ではなかなか知り得ないことだし、何よりも窓から見える海が凄《すご》かった。

最初その窓から見たのは憂鬱《ゆううつ》に波濤《はとう》をつらねる黒い平面だったが、ひとたび吹雪になると、雪と風が白い絶叫となって海面をころげ回り、重い空がそっくり海に落ちてその巨大な全身を絶望的にくねらせた。

窓の近くにこたつを持っていって、そんな海を眺めていると、午前中は何も手につかなかった。いや午後になってもたいして仕事がはかどる訳でもなかった。

宿との話で、昼食は外に食べに行くことにしていた。その方が変化や刺激があっていいだろうと思ったのだが、原稿用紙をひろげただけで午前中何もせずに外に出ると、北国の冬は、午後にはもうたそがれの気配になっていて、少々気持の底が苛《いら》だつのだった。

昼食は海岸通りに面した飲食街で開いている店をさがせばいい、と宿の人におしえてもらった。飲食街というのは呑《の》み屋街のことで、多くは夕方からの店開きだが、二、三軒は昼食もやっていた。

二軒並んで開いているところがあった。そのどちらを選ぶのに何を根拠にしていいかわからないのだが、わからないなりに少々迷った後、「いちもんめ」という店に入った。

客は誰もおらず、焼き魚のにおいが充満し、テレビの音がやかましかった。カウンターの中に三十歳ぐらいの女性がいて、その顔とは別人のような、うなるような低い声で「らっしゃぁい」というので私は少々及び腰になった。女は誰か別の人が入ってきたものと思っていたらしく、私の顔を見ると「しまった……」というような顔をした。左の頬《ほお》に細く長い笑窪《えくぼ》の走るなかなかの美人だった。

私はカウンターに座り、背後の壁に貼ってある昼定食のメニューを眺めた。漁港をひかえている街らしく、魚が主体だった。

東京ではなかなか口にできないソイと平目の刺身が安かった。それに鱈《たら》の子の煮つけ、ほたて貝の味噌汁《みそしる》。あたたかいごはんにそれらはとてもうまかった。他の客はやってこない。しばらくして店の女が、旅行の人ですか、と聞いた。私は泊っている宿の名を言い、そこから荒れている海が見えることを話した。

「このあたりは吹雪になることが多いのですか？」

「低気圧がくるとね、一週間くらいこんな天気が続きますよ」

女はあついお茶を入れ換えてくれた。テレビが連続ドラマをやっていて、さっきから深刻な人生の話がくりかえされていた。私はその店と、細長い笑窪のその女性が気に入って、同じ日の夜、おそくなって酒を呑みに行った。今度は常連らしい客がいっぱいいてにぎやかだった。イカの料理で一時間ほどあつい酒をのんだ。

二日間でかなりの雪が積もり、もう外出するのに東京から履いてきた底の平らな靴では滑ってしまって歩くのがひと苦労になっていた。

そこでたいていの街の人が一日に一回は行くという中央スーパーに長靴を買いに行った。

外から見るよりも中は巨大で天井が高く、まるで体育館の中に入ったようだった。食料品から家具まで、生活用品のあらゆる物を揃《そろ》えているようで、それらを眺めながら歩いているだけで中々面白かった。子供のためのコーナーにはゲーム用品がどさりとそれこそ小山のように置かれており、それと背中合わせに仏壇が大量に並べられていた。

長靴は膝《ひざ》までのものが頑丈そうで、色も黒だけでなく、いろんな色をおしゃれな縞模様《しまもよう》にデザインしているものもあって、選ぶのにけっこう迷った。

係の人に頼んで、履いてきた靴を包んでもらい、買ったばかりの長靴で外に出ると、足もとが信じられないくらいしっかりとして、歩くだけで気分が弾んだ。まだ風は強く、雪は降り続いていた。コートの衿《えり》を首もとまできっちりしめて、防寒帽をかぶり、傘をささずに海岸通りを歩いた。

海は昨日よりももっと荒れているように思えた。満潮の時間なのか、ときおり波が道のむこうで大きく跳ねあがり、海側の歩道を歩くのは少し怖い気がした。こんな荒天なのに海鳥が舞っているのが驚きだった。鳥は風にむかって激しくはばたいているが、すぐ風に押しもどされてしまうようで、中々進まない。そんな状態を鳥たちも楽しんでいるように思えた。

その日の昼も「いちもんめ」に昼食を食べに行った。笑窪の女とはもうすっかりうちとけていろいろな話をするようになっていた。

私は中央スーパーからの帰り道に見た「漁《いさ》り火通り」の話をした。

「随分気のきいた通りの名があるんですねえ」と私は言った。

「そんなのはつい最近のものだよ。地元の者が誰も知らないうちについてしまったくらいだもの」

女はそのとき妙にはすっぱなものの言い方をした。聞いてみると観光客相手に行政が観光業者と一緒になって勝手につけた名だという。

「あそこはバス通りっていうんですよ。土地の人はいまだってみんなそう言ってますよ」

女はこの町で生まれ、はたちの時から四年間大阪で暮らしていたという。そのときに男ができて、子供までできてしまったんや、と女はそのときだけ関西弁ふうの喋《しゃべ》り方をすこしまぜてみせた。

その町には一週間いた。

吹雪は四日間続き、そのあとはもっと冷たい風が吹いた。

仕事はあまりはかどらなかったが、思ったほどの焦りや苛だちはなかった。それよりも「いちもんめ」で呑んでいるときに出会った数人の北海漁師や、セールスのために私と同じようにこの町に長逗留《ながとうりゅう》している人々と知りあい、珍らしいいろいろな話を聞けたことがうれしかった。

帰る日に挨拶《あいさつ》とお礼を言っておこうと「いちもんめ」に行ったのだが、どうしたわけか店は閉っていた。列車の時間があってそのまま東京へ戻ってしまったのが心残りだった。

あとがき

一番上の兄が毎月写真雑誌を定期購読していた。本棚にあるそれを時おりパラパラやっていた。写真雑誌にはいろいろな見知らぬ土地の風景があり、そこにはさまざまな人がさまざまに暮らしていた。気に入った一枚の写真をながいこと眺めていることもよくあった。

そういう写真を眺め、その世界のことを考えるのが面白かった。小学校のおわりから中学のはじめの頃にかけての、思えば一番心のうちの多感な時期であった。

そうか、もしかするとあれは、そんな風景の中を旅していたのかもしれないな……と、その後自分なりに理解した。

まだ憶えている写真がある。沢山の木がはえていてそれがみんなひとつの方向に枝葉を寄せて大きく傾いているのだ。最初見たとき、強い風が吹いているのだな、と思ったのだが、それにしてはそのすぐ脇をのんびり傘をさして歩いている人がいる。それだけ沢山の木がしなるほどの風が吹いていたら傘など当然吹きとんでしまうだろう、というのはじっくり見てわかる。そうか、するとこの土地はいつも強い風が吹いていて、樹々がこうして風の吹いていく方向にしなったままになっているのだ、そういう土地なのだ……ということがやがてわかってきた。

それが日本の風景だったのか外国のものだったのか、記憶はないが、後年世界のいろいろなところを旅するようになって、子供の頃見たその写真と同じ風景と出会った。勿論《もちろん》、子供の頃見た写真雑誌にあった土地とはまったく別のところなのだろうけれど、でもその沢山の樹々が、風のない日なのに一斉に一方向にかしいでいるさまはまったく同じであった。

――ああ、やっと見つけたぞ！

と思った。子供の頃から追い続けていた旅の風景というものは、なんて心にあつくてやさしいのだろう、と、その時思った。

一枚の写真には何かかならずものがたりがある、と思うのだ。誰か知らない人が撮った写真を、時間をかけてじっくり眺める、ということをわりあいよくやっている。そんないくつもの写真を並べてもっと連続したストーリーを考えていく、というのも楽しいことのひとつだ。いつしかそれを自分の撮った写真で遊んでみるようになった。

旅——をテーマに写真と文章で一冊の本にまとめてみたい、と少し前から考えていた。遠い旅も近い旅も、あるいはもっと別な、内なる人生の旅のことも含めて——である。

そんなひそかな夢がこの本で実現した。

本書は「婦人画報」に一九九四年一月号から二年間同じ題名で連載したのをまとめたものです。婦人画報編集部の井上陽子さん、晶文社の島崎勉さん、装丁および誌面レイアウトまるまる手がけていただいた平野甲賀さんに沢山感謝しています。

一九九六年十月

文庫版のためのあとがき

この元本はA5判の横びらきの造本だった。横位置で撮ることの多いぼくの写真をフルにページいっぱい使って表現してくれたので、こういう写真と文章の本にはとても贅沢かつありがたい「つくり」だった。

元本から八年ぶりに文庫版化するにあたって担当編集者はその構成にずいぶん苦労したようだった。難しかっただろうなあ、と著者のぼくも思う。

今は南米をひと月ほどかけて北上していく旅のさなかなので毎日いろいろ刺激的な風景と出会う。パンタナルという野生動物のいっぱいいる世界最大の湿原なので毎日ワニやカピパラというブタぐらいある巨大ネズミなどを眺めている。かれらの写真はもういっぱい撮った。カピパラは誰かに似ているなと思っていたが「ムーミン」に似ているということに今日気がついた。帰ったらこの大湿原のおびただしい動物の写真をもとにまた何か面白そうな話を書いてみたい。

旅の多い日々を送っているので、旅にからむ写真とエッセイのこういう本を出せるのは著者としては誠にありがたいことで、文庫版でまた新たな再生を果たすような気分である。なおこの本の元本を出版した晶文社から続刊として『笑う風　ねむい雲』という同じようなつくりの本を二〇〇三年に刊行した。どっちもタイトルに「風と雲」がからんでいるのでまだ二冊だけだが「風雲シリーズ」とぼくは勝手に名づけている。

二〇〇四年九月

椎名　誠

解説　タフな静けさ

藤代冥砂（写真家）

椎名さんは、椎名誠として、どーんとあって、なんというか、もはや地名みたいなもので、椎名通りとかそのうち出来るんだろうな、という存在である（もう、あるのかもしれない）。イメージでいうと、体力知力好奇心が尽きず、歩き、書き、撮り、考える人で、すごく健康的な感じを持っている。かつ、大人であり、永遠の青年で、愛妻家な感じ。いつも充実していて、強く柔らかく太く、愛し愛され、男友達多数、女性に惚れられ、そしてタマネギを愛する。

タマネギは椎名さん曰く、野菜の王様で、私はそのタマネギが大嫌いなので、特に印象に残っている。キャンプともなれば、椎名さんは破顔しながらタマネギをザクザク切り刻んで、熱したフライパンなり鍋に放り込む。その瞬間蒸気と共にあがるタマネギの歓声。もし、タマネギが大好きだったなら、それは至福の音となろう。香しき匂いに包まれながら。

私は、タマネギは野菜の王様だと言われた時点で、もう降参だ。この人にはかなわん、と思う。サラダの上に乗ったオニオンスライスをちまちま除けたり、イカリングと間違えて噛み付き、のたうちまわる自分が、ほんとに小さく感じられる。このタマネギ問題は、私にとって小事でない。

もちろん、椎名誠の作品の面白さは当たり前にある。吉本隆明曰く「自殺を禁じられた太宰治」なのだから、格好いいに決まってるし、旅数の多さには羨望する。最終的には腕力に頼る感じも素敵だし、父の背中としてもパーフェクトに近い。そして、ひつこいが、タマネギをたらふく食えるのだから、いいなあと思う。キムタクと椎名誠だったら、断然、椎名誠に生まれ変わりたい男は多いと思う。ぶらりと旅をし、午前中に原稿を書き、午後から散歩をし、写真を撮り、日が暮れれば酒を飲む。なんということだ。

『風の道 雲の旅』。この本の中で、写真と文章はとても似ている。このことは、私はあまり考えたことがなかった。先にぱらぱらめくって写真を眺め、それから文章を読みだしたので、文章のイメージが写真を見る目に影響したのではないようだ。写真にとっての被写体と文章にとっての対象への、椎名さんの距離が似ている。それは私達が普段生活していて失礼のない間隔と同じだ。私達はいきなり近付いて人の顔をじっと覗いたりしないし、嘗《な》めるように観察したりしない。構図を気にしながら海を眺めたりしないのだ。

ああ、そういうことかも、と気づく。椎名さんの腕力には品があるなあ、と思っていたのだが、この対象との距離感が大切なのだ。ずけずけしてないのが、優しさとなっている。これは作風ではなく、人柄なのだろう。演じることのない自前の身体から産まれる作で、椎名さんはずっと楽しんできたのだろう。ゆったりしながらも運動神経を感じさせる。

「旅行の途中で、なんだか随分気持の底がほっとする風景に出会うことがある。」

この本の中からの抜粋だが、気持ちの底という言い方が気に入っている。気持ちがほっとする、のではなく、気持ちの底がほっとする。この言葉によって、気持ちには底があるのだなと気づいた。些細だが印象的だ。この表現は椎名さんの他の作品でもこんな風に出てくる。

「本当にその時の我が気持ちの底にあるなんともおさまりどころのない気分の高まりを形容してのものであった。」(「旅の窓」(新潮ムック『椎名誠編集長 でっかい旅なのだ。』所収)

私は椎名誠以外にこの「気持ちの底」と書く人を知らない。いるのかもしれないけど知らない。今度、日常会話の中で使わせてもらおう。

「あきらめて宿に戻ろうと思った。カバンの中に放りこんでおいたアフリカの探険記を布団の中でゆっくり読むというのもいいものだ。」

これも好きな文章だ。椎名さんはつくづく旅が好きで、未知へ入って行くのが好きなのだ。旅と読書はそういう意味で同じだし、手足動かす旅の中にあっても、読書という旅も欠かさずにやる。私はどちらかというと、旅している時にはほとんど読まない。一応一冊用意していくことはあるが、手にとることは稀だ。椎名さんは新しい土地で刺激を一杯受けている上に、本からの刺激も容赦なく入れる。体力だなあと感心する。生姜焼き定食に、ハンバーグ定食も食べられるのだ。よく消化できるなあと思う。やはり体力なのだ。

写真を撮るにも体力はいる。疲れてもう部屋に戻ろう、としてしまった後に本当は出会っていた風景や人があるかもしれない。ああ、いいなあと気持ちが反応しているのに、カメラを取り出すのが面倒で撮れなかった瞬間があるかもしれない。文章にしろ写真にしろ、やはり体力は必要だ。私は、こういう体力によってもたらされた表現は無条件に肩を持ちたい。なんだかすっきりして気分がいい。東京や大都市でしか通用しない物よりも、どこでも受け入れてもらえる表現にとても魅力を感じるのだ。

『風の道 雲の旅』という大らかなタイトルからは意外だが、ここには胸のすくような冒険も大声もない。いろいろな物語が写真と文章に表され奥行きもあるのだが、どこか淡々とした印象を受ける。どかどかとした椎名さんの印象とはちょっと違って、静かな散歩だ。シャッター音もライカのそれのように控えめに響いている。こういう椎名さんもあるのだ。枯れを全く感じさせないのは、やはり無尽蔵な体力の横たわりが何処かに漂っているからであり、祭りをちょっと抜け出して遠くから眺めているようなエネルギーに満ちた静けさなのだ。

私は椎名さんみたいな大人になりたいなあと思う。私とて三十七であり、もうすでに十分大人なのだが、椎名さんの作品の青年性を前にすると、どうしても自分がまだ思春期ぐらいに感じてしまう。椎名さんの島遊びの本などを読んでも、次の夏は自分も仲間とキャンプに行こうと必ず思いめぐらしてしまう。これからいろんな事を体験し、学び、強く優しい大人になろうと思うのだ。

私はこういう椎名さんの作品の持つ絶対的な明るさを貴重に思う。フォロワーらしき人が思い浮かばないのも、傑出した明るさの証明であり、その明るさの中心には、どーでもいいや、という気ままな楽天がある。中心には強い輪郭もなく、ただなんとなく明るさに向かっているのだ。それを腕力が動かしているのがなんとも素晴らしい。

私も旅が好きで、写真を撮り、文章を書いたりもする。それを発表する事は意味があることだと思っていた。今回、この『風の道 雲の旅』を手に取り、そのことについて思った。「時おり花は何を考えているのだろう、と思うことがある。」というチャプターで、椎名さんはパタゴニアのプンタアレナスという南極に近い港町で、生まれて初めて花を「美しい」と感じる。自然を愛し、風景を愛し、仲間を愛する人が、今まで花の美しさを知らなかったのだ。私はこのチャプターのしーんとした感じが好きで、何度も読んだ。多くの人の心の中に椎名さんのプンタアレナス行きが自分の旅としてしーんと響くだろう。その無音の響きが、読者の心から心へと伝わって、パタゴニアのタンポポとスミレとレンゲが枯れることなく生きていく。人は他人の旅を自分の旅とすることができるからだ。

最後に私的ながら、椎名誠ファンがちょっと羨ましがる話。椎名さんはご存知の通り子供時代を千葉県で過ごし、高校は市立千葉高校。私はその後輩にあたります。以後、椎名さんではなく、椎名先輩と呼ばせていただきます。

集英社文庫

風《かぜ》の道《みち》 雲《くも》の旅《たび》

2004年10月25日 第1刷
2012年10月6日 第4刷

定価はカバーに表示してあります。

著者 椎名《しいな》 誠《まこと》

発行者 加藤 潤

発行所 株式会社 集英社
東京都千代田区一ツ橋2-5-10 〒101-8050
電話 03-3230-6095（編集）
03-3230-6393（販売）
03-3230-6080（読者係）

印刷 中央精版印刷株式会社 株式会社美松堂

製本 中央精版印刷株式会社

フォーマットデザイン アリヤマデザインストア マークデザイン 居山浩二

ISBN978-4-08-747747-4 C0195